Topless

EVELYN HEEG

m.m.v. Tino Heeg

TOPLESS

De keuze voor leven zonder borsten

Namen en uiterlijke kenmerken van personages zijn fictief.
Plaatsen en gebeurtenissen niet.

Auteur: Evelyn Heeg, met Tino Heeg
Oorspronkelijke titel: Oben ohne, die Entscheidung zu leben

Vertaling: Astrid de Vreede/Vitataal
Redactie en productie: Vitataal tekst & redactie, Feerwerd
Opmaak: Erik Richèl, Winsum
Foto omslag: Jörg Steinmetz
Omslagontwerp: www.justworks.nl

ISBN 97890 975 1232

NUR 320

WWW.JUSTPUBLISHERS.NL

INHOUD

Een spoor van vernieling 12
Een hoogrisicofamilie 22
Waarom testen? 25
Dan is het allemaal mijn schuld 34
Oma's bloed 38
Oude wonden 45
Een wonderbaarlijke stamboom 50
Brutaliteit 57
Ergens is het vernederend 64
Bijna als een melaatse 70
De druk neemt toe 77
Slapeloos 83
Weg van alles 94
U weet toch wat u wilt? 113
Met reuzensprongen vooruit 126
Positief bericht 131
Het moment waarop ik zo lang
    gewacht heb 136
Afscheid van Schönau 147
Een aardige arts 153
Countdown 160
Hopelijk tot morgen 178
Terug in de verkoeverkamer 185
Ik heb het warm 191

De tweede keer is alles zwaarder 209
Het is mooi geworden 218
Ik ben er weer 222

Dankwoord 233
Medisch nawoord 235

Voor Gabriele en Anneliese

'Goedemorgen, mevrouw Heeg.'

'Goedemorgen, dokter Feller.'

Hij geeft me een hand en glimlacht. 'Ik heb heel goed geslapen, mocht dat u geruststellen.'

Ik glimlach ook. Dat is niet de begroeting die ik verwachtte. Het is ook eigenlijk niet echt belangrijk hoe ík de nacht ben doorgekomen, maar wel of mijn chirurg goed is uitgerust. Per slot van rekening heeft hij heel wat werk voor de boeg. Dat sterkt me in mijn vertrouwen dat alles goedkomt.

'Laat u me de tekeningen nog eens even zien,' zegt de arts.

Ik sta op om hem de lijnen op mijn lichaam te laten zien.

'Goed zo. De verpleegsters zullen u zo meteen naar beneden brengen en dan gaan we beginnen.'

Daar heb ik niets tegen in te brengen. Ik ben blij dat het wachten voorbij is. Ik heb verrassend goed geslapen, dus was de nacht relatief snel voorbij. Toch is dit een vreemde situatie: ik ben volledig gezond en lig hier in een ziekenhuis in München. Zo dadelijk onderga ik een operatie die zeven uur zal duren.

Buiten begint het licht te worden. Vanuit mijn kamer heb ik een mooi uitzicht op de tuin. Je zou niet zeggen dat die bij het ziekenhuis hoort. Het ziekenhuis zelf ruikt ook niet zoals gewoonlijk het geval is naar ontsmettingsmiddelen. De kamer met zijn hoge plafond doet aangenaam aan. We liggen er op dit moment met zijn tweeën. Mijn kamergenote heeft alles al achter de rug. Ze wordt vandaag ontslagen. Ergens buiten moet ook de Engelse tuin zijn. Ik wilde het eigenlijk allemaal nog even bekijken, maar daar komt nu niets meer van.

De verpleegster staat in de deuropening. 'Bent u er klaar voor, mevrouw Heeg?'

Ik geloof van wel.

'U mag u nog even omkleden en dan rijden we u naar beneden.'

Waarom rijden? Ik kan toch lopen. Maar ik slik de opmerking in. De verpleegster reikt me het operatiehemd aan, ik glip uit mijn nachthemd en trek het akelige kledingstuk aan. Daarmee wil ik niet door het ziekenhuis lopen. Ik ga weer op het bed zitten.

'U mag nu gaan liggen; dan vertrekken we.'

Gaan liggen? Dat lijkt me zo hulpeloos. Bovendien zie je dan nauwelijks iets. Ik zou liever blijven zitten tijdens deze rit, maar ik ga er nu niet over discussiëren.

Ik strek me uit onder de deken. Er komt een tweede verpleegster bij en samen brengen ze mijn bed in beweging. We rijden door de deur en ik staar naar het plafond van de ziekenhuisgang, waar af en toe een tl-buis voorbij flitst. Het is helemaal niet zo gemakkelijk om dat onhandige en zware gevaarte door de verschillende bochten te manoeuvreren. We stoppen, ik til mijn hoofd even op, dan gaat de liftdeur open en gaan we omlaag naar de operatiezaal.

Een lichte schok en we zijn er. Hier hangt een andere sfeer, het licht is feller en uiteraard wordt het nu ook steriel.

'U moet nu even overstappen, mevrouw Heeg.'

Het nieuwe bed wordt verder gereden door mensen in het groen. Er komt nog iemand in een groen pakje bij. Het is de anesthesist van gisteravond. Als hij dat toen niet had gezegd, had ik hem nu niet herkend. Maar dat weet hij wel. Hij spreekt me nog een paar geruststellende woorden toe terwijl hij het infuus aanlegt. 'Zo, nu zal het even prikken.'

Ik ben niet bang voor de narcose. Ook de operatie boezemt me geen angst in. Zo erg als chemo kan het nooit zijn.

Ik haal diep adem; daar hoef ik nu in elk geval niet meer over na te denken. Ik voel de koude vloeistof in mijn aderen en alles wordt zwart.

EEN SPOOR VAN VERNIELING

April 2003

Autorijden was voor mij altijd al een perfect slaapmiddel. Tino rijdt, ik zit wat te dommelen. Dat is onze gebruikelijke taakverdeling. Ik moet door de week elke dag bijna 180 kilometer op en neer reizen, dus ben ik blij als mijn man in het weekend rijdt. Hij zit elke ochtend en avond in de trein en vindt het lekker om weer eens zelf achter het stuur te kruipen. In onze oude muisgrijze Volkswagen Golf, een erfenis van Tino's ouders, puffen we omhoog door het Höllendal bij Freiburg. De auto was al geen krachtpatser met zijn vijftig pk en in de loop der jaren is dat allemaal nog veel minder geworden. Het Höllendal is een van de spectaculairste kloven aan de westkant van het zuidelijke Zwarte Woud. Aan het begin van het dal kronkelt de weg tussen 30, 40 meter hoge rotswanden door. Daarna wordt het dal wat breder en gaat de weg geleidelijk omhoog, om vervolgens via enkele haarspeldbochten naar Hinterzarten omhoog te slingeren.

We passeren Neustadt, waar de weg zich in een laatste steile bocht over een hoge brug omhoogwerkt. Hierboven, op meer dan 1000 meter boven de zeespiegel, hebben de parkeerplaatsen toepasselijke namen in het Alemannische dialect, zoals Verschnuferecke (uitblaashoekje). Tot we op de snelweg Singen-Stuttgart komen, trekt het landschap van het koude

Baar aan ons voorbij. Hier krijg ik beslist nog geen lentekriebels. Terwijl in Freiburg alles al in bloei staat, bepalen bruine velden hier het sombere beeld.

We zijn op weg naar mijn oma. Het is geen alledaags bezoek, want oma zal ons over haar leven vertellen. Tino en ik kennen elkaar al zeker zeven of acht jaar. Heel precies weten we het niet meer, maar we hebben elkaar tijdens een sportevenement van de universiteit leren kennen. We zijn allebei fanatieke wielrenners en destijds zaten we toevallig in dezelfde groep. We hadden tijdens de fietstochten steeds leuke gesprekken en op een gegeven moment heeft Tino de stap gezet en me 's avonds opgebeld om een keer buiten het wielrennen om met me af te spreken. Het was een mooie avond, die steeds langer en langer werd. Twee jaar later zijn we getrouwd.

Een paar weken geleden had ik het met Tino weer over mijn familie. Tino, die geschiedenis heeft gestudeerd, wilde van alles weten. Dingen waar ik op zijn zachtst gezegd geen idee van had. Hij weet natuurlijk wel het een en ander over mijn familie, maar dat gaat niet verder dan de kinderjaren van mijn moeder. Van verder terug weet ik maar een paar dingen. Ik vond zijn vragen irritant. Ik dacht bij mezelf: man, dat weet je toch van je eigen familie? Natuurlijk is mijn onwetendheid niet onlogisch. Mijn moeder overleed toen ik veertien was en daarna veranderde er een heleboel in ons gezin. Als oudste bekommerde ik me veel om mijn broertje en zusje en het huishouden. Mijn zusje is zeven jaar jonger dan ik en had gewoonweg veel aandacht nodig. Voor het huishouden had mijn vader een werkster ingeschakeld die een paar uur per dag bij ons kwam. Toch kwam er nog wel het een en ander op mijn schouders terecht – al was het alleen maar de gedachte aan wat er allemaal moest gebeuren. Daarnaast ging ik naar het gymnasium, ik deed eindexamen en dan had ik ook nog mijn vrienden en mijn sport. Kortom, ik had wel iets anders aan mijn hoofd dan mijn vader naar onze

13

familiegeschiedenis te vragen. Toen ik achttien was, hertrouwde mijn vader en ging ik in Ludwigsburg en Freiburg studeren.

'Waarom gaan we niet met je oma praten?' stelde Tino ten slotte voor, toen ik hem niets meer kon vertellen over de familie van mijn moeder. Ja, waarom eigenlijk niet? Ik zou niet op het idee zijn gekomen. Ik was er ook wat huiverig voor. Hoe zou oma reageren? Uit zichzelf is ze er nooit over begonnen. Misschien wil ze er helemaal niet over praten. Misschien overval ik haar er wel mee. Ik weet namelijk één ding wel zeker: ze heeft geen gemakkelijk leven gehad. Ze wordt vast verdrietig als ze over vroeger vertelt. Bovendien is haar eigen gezondheid ook niet meer in orde. Ze heeft al een keer darmkanker gehad en sinds een paar jaar heeft ze ook nog eens borstkanker.

Omdat Tino bleef aandringen, raapte ik mijn moed bij elkaar en belde haar op.

'Oma, we willen graag langskomen. En ik zou het leuk vinden als je Tino en mij eens over je leven vertelt.'

'Waarom dan?' vroeg oma meteen.

Ik legde haar uit hoe dit idee was ontstaan en dat ik simpelweg te weinig wist.

Het was even stil aan de andere kant van de lijn.

'Willen jullie dat echt?'

Terughoudend als ze was, kon ze het maar moeilijk geloven. Nadat ik haar ervan had overtuigd, ging ze ten slotte akkoord.

We gaan regelmatig bij oma op bezoek. Om de paar maanden krijg ik heimwee naar het oude huisje aan de rand van Stuttgart, waar ze met haar zoon, mijn oom, woont. Samen vormen ze een harmonieus gezin. Oma zorgt voor het huishouden en mijn oom doet de klusjes en de tuin – behalve de bloemperken, die zijn van oma. Normaal gesproken wordt er tijdens onze bezoeken de hele tijd gepraat: oma heeft een grote belangstelling voor het reilen en zeilen van haar kleinkinderen. Het is verbazingwekkend hoe ze alles van haar veertien kleinkinderen onthoudt. Ze weet wat we allemaal doen, wanneer we jarig zijn, enzovoort. Met zo veel kleinkinderen is ze eigenlijk altijd wel bezig om voor iemand een cadeau te bedenken en te kopen. Dat is voor haar behoorlijk inspannend, maar dat laat ze ons niet merken. Zolang haar handen nog werken, hoort bij elke kerst bovendien een paar zelf gebreide wollen sokken. Als tiener vond ik dat maar saai, maar nu zijn die sokken me zeer dierbaar, ook al draag ik ze bijna nooit. Het is een beeld dat diep in mijn geheugen staat gegrift: oma die met tikkende breinaalden op de bank zit. Op die momenten leek ze volledig in het reine met zichzelf en de wereld, tevreden en ontspannen.

Maar nu zal het een heel ander bezoek zijn. Tino heeft besloten om alles voor het nageslacht vast te leggen. Hij heeft daarvoor speciaal een videocamera van een vriendin geleend. Ik geloof dat hij zich een beetje ziet als de schrijver van een verloren gewaande familiesaga of zoiets.

'Dat met die video wil ze vast niet,' protesteerde ik.

Op een familiefoto met een paar van haar kleinkinderen heeft oma zichzelf eruit geknipt, omdat ze zichzelf niet wilde zien. Ze zal het nooit goedvinden dat wij haar filmen.

'Dan laten we toch alleen het geluid lopen?' opperde Tino.

We verlaten de snelweg aan de rand van Stuttgart, kruipen met 30 kilometer per uur door een woongebied en slaan bij het bejaardentehuis de steile straat in die omlaag naar het huis leidt. Deze berg moet oma elke dag op lopen als ze boodschappen gaat doen. Natuurlijk brengt ook haar zoon boodschappen mee wanneer hij thuiskomt van zijn werk, maar ze is nu eenmaal een trotse vrouw, trots op haar onafhankelijkheid en mobiliteit.

Oma is inmiddels drieëntachtig en sinds twee jaar heeft ze borstkanker. Natuurlijk is dat bij een oude vrouw als zij niet meer heel dramatisch, maar voor mij is ze eigenlijk veel meer dan alleen mijn grootmoeder. Na de dood van mijn moeder en toen ik niet meer thuis woonde, was ze mijn steun en toeverlaat. Ik wist dat ik altijd bij haar kon binnenvallen, ze zou voor me koken, naar me luisteren, waar ik ook mee zat. Gewoon het feit dat ze er is, heb ik altijd een ontzettende troost gevonden.

We parkeren voor het huisje van oma, dat schilderachtig tegen een helling ligt. Voor het huis ligt een boomgaard en daarachter begint het bos. Tijdens grote familiefeesten maakten we altijd een boswandeling. Dat vond ik altijd zo leuk aan Stuttgart: het is een grote stad en toch is er zo veel groen. Tino zoekt achter in de auto alle spullen bij elkaar, ik loop vooruit en ga naar de tuindeur.

Ze staat ons zoals gewoonlijk op te wachten in de deuropening. Ze is klein en tenger, maar als we in de gang staan omhelst ze me stevig. Vroeger was ze een knappe vrouw, maar ook nu besteedt ze nog veel aandacht aan haar uiterlijk. Een keer per week gaat ze naar de kapper; daarvoor loopt ze graag die berg op. We praten wat over de tuin, die het huis tegen de helling volledig omringt. Er moet natuurlijk veel gesproeid worden. Ik sta altijd weer versteld van de energie waarmee ze op haar leeftijd alles onderneemt. Tot voor kort hielp ze zelfs als vrijwilligster in het bejaardentehuis boven op de berg!

Zoals altijd is ze behoorlijk druk. Vroeger schoot ze heen en weer door de keuken terwijl ik op de kruk in de hoek zat en gefascineerd haar chaotische, maar energieke bedrijvigheid gadesloeg. Vandaag zet ze eerst koffie en natuurlijk heeft ze ook iets lekkers gebakken. Samen brengen we alles via de steile trap omhoog naar de woonkamer en daar gaan we aan de eettafel zitten. Ik ben wat nerveus en ook Tino ziet er gespannen uit. Hij heeft de camera al op tafel gezet, maar oma lijkt niets te merken. De koffie wordt ingeschonken, de taart verdeeld en Tino zegt dat we het gesprek graag zouden opnemen als ze dat goedvindt.

'Nee, dat wil ik niet!'

Haar stem klinkt vastberaden.

Tino biedt aan om alleen het geluid te laten lopen, maar ook dat is haar te veel. Geen opnames. Nee, geen denken aan. Even ben ik bang ik dat ze nu alles zal afblazen. Tino pakt de camera weer in en oma kijkt kritisch toe. Maar dan begint ze uit eigen beweging te vertellen, zonder dat we een vraag hebben gesteld. Alsof ze al een hele tijd zat te wachten tot iemand eindelijk eens belangstelling zou tonen.

Bijna drie uur lang vertelt ze over haar leven, haar jeugd in Stuttgart, waar ze als jong meisje veel in de zaak van haar ouders moest helpen, over de oorlog, haar eerste liefde, een boekhandelaar, met wie ze ook is getrouwd, maar die kort daarna in de oorlog sneuvelde. Zijn broer, haar zwager, verloor op zijn beurt zijn vrouw. En zo kwamen ze bij elkaar en ze trouwden. Dat klinkt ons nogal geforceerd in de oren, maar oma ziet dat alles met de wijsheid die ze in zestig jaar heeft opgedaan. 'Ach, als boekhandelaar had hij het beslist moeilijk gehad na de oorlog. Misschien was het zelfs beter zo.' Opa was technicus in de telecommunicatie, die waren na de oorlog hard nodig.

Het komt er ineens allemaal uit: ze herinnert het zich nog heel precies, ze kent nog de naam van de kinderarts bij wie ze met haar oudste dochter is geweest. Ongelooflijke details, en dan weer verschrikkelijke en beklemmende gebeurtenissen. Het is fascinerend en overweldigend, maar dat kan ik natuurlijk niet laten merken. Onmogelijk. Het is ontzettend jammer dat we het niet kunnen opnemen. Als oma over de vroege dood van haar oudere zus vertelt, vraagt Tino: 'Waaraan is ze dan gestorven?'

'Borstkanker,' zegt oma onaangedaan.

Tino kijkt me veelbetekenend aan, maar ik haal mijn schouders op. Natuurlijk vertelt ze ons ook over de dood van haar drie dochters, maar die verhalen heb ik allemaal persoonlijk meegemaakt. Eerst trof het noodlot de oudste dochter, daarna was mijn moeder aan de beurt en tot slot werd dan ook de middelste dochter ziek. Bij mijn moeder was het eerst borstkanker, maar toen ze uitzaaiingen bleek te hebben, werd er een tumor uit de ruggengraat verwijderd en uiteindelijk stierf ze aan longkanker. Ook bij de middelste dochter begon het met borstkanker. Alleen de oudste dochter had een andere vorm van kanker, waarschijnlijk Hodgkin, maar dat weet oma niet meer zeker. In elk geval heeft de kanker een spoor van vernieling in onze familie nagelaten. Vier vrouwen in twee generaties en oma zou er uiteindelijk ook aan sterven, dat was zo goed als zeker.

Later haalt ze een paar fotoalbums tevoorschijn, die haar tweede man, onze opa, in zijn vrije tijd heeft bijgehouden. Met veel liefde en oog voor detail heeft hij alle foto's en documenten waar hij de hand op wist te leggen verzameld, ingeplakt en in een keurig handschrift van commentaar voorzien. Hij heeft zelfs een veldpostbrief uit de Eerste Wereldoorlog weten te bemachtigen. Daaraan kun je zien dat hij ooit postzegels heeft verzameld.

Eén foto toont een van mijn voorouders, mijn overgrootvader, voor zijn boekhandel in Zuid-Italië. Ik wist helemaal niet dat er zoveel boekhandelaren in onze familie waren! Ook oma las altijd al graag en veel. De rustieke wandkast in de woonkamer staat stampvol boeken. De klassiekers staan hier, de romannetjes in de studeerkamer.

Ondertussen springt oma heen en weer tussen generaties en grootste gebeurtenissen tot ons duizelt. We zijn alledrie kapot, uitgeteld en eigenlijk is het wel goed zo. Tijdens het avondeten praten we gewoon over de dagelijkse dingen. Waar mijn zus zoal mee bezig is, hoe het met de baan van mijn broer is, hoe het bij Tino op zijn werk gaat, hoe ik het op school heb. Oma lijkt nog steeds uitgeput. De rimpels in haar gezicht zijn diep, om haar ogen zijn donkere kringen te zien. Ik stoot Tino aan en hij knikt terug: na het eten stappen we maar op. Ik vraag oma naar haar gezondheid en ze zucht. Haar linkerarm is voortdurend opgezwollen en doet pijn. Dat heeft natuurlijk op de een of andere manier met de kanker te maken, maar de medische details kent ze niet echt.

'De dokter zegt dat ik een chemokuur moet volgen, maar dat wil ik niet.'

Ze heeft gezien hoe haar drie dochters deze lijdensweg hebben ondergaan, en toch met veel pijn zijn gestorven.

'Dat snap ik wel,' mompel ik.

Het is hopeloos en dat weten we allebei.

Als we achter elkaar de steile trap zijn afgedaald, moet ik met oma mee naar de voorraadkelder. Dat is vaste prik. In de voorraadkelder liggen oma's schatten. Zelfgemaakte jam en een gigantische diepvrieskist. Daaruit word ik altijd bevoorraad. Mijn persoonlijke favoriet is haar frambozen-aalbessenjam. In mijn studentenflat vroeger was oma's jam ook altijd ontzettend populair. Sinds ik met Tino samenwoon, is dat anders. Hij eet bij het ontbijt vrijwel alleen boterhammen met honing – daar kan zelfs oma's jam niet tegen op. Toch overstelpt ze me er nog net zo mee als tijdens mijn studie. Dat neemt niemand haar af. En ik protesteer niet. Ik denk altijd maar: jam is heel lang houdbaar, het kan geen kwaad er zo veel van in huis te hebben, want je weet nooit wanneer het afgelopen is.

Oma klapt de diepvrieskist open en haalt er een ingevroren cake uit.

'Hier, neem deze ook mee,' zegt ze, hoewel ik al wankel onder het gewicht van de jampotten. 'Ik loop nog even mee naar de auto, hoor!'

Ze kan nog zo kapot zijn of pijn hebben, ze loopt altijd tot aan de auto mee. Ze wacht tot we alles achterin hebben gezet en zwaait dan net zolang tot we aan het eind van de straat uit het zicht verdwijnen.

Na het afscheid rijden we een hele tijd zwijgend over de snelweg richting Freiburg. Het schemert. Ik moet het allemaal verwerken, alle emoties die naar boven zijn gekomen. Het leven versneld afgedraaid, met alle bijbehorende vreugde en verdriet. En ook het leven dat niet geleefd is, omdat mijn moeder en haar zussen zo jong gestorven zijn. Eigenlijk is het nogal treurig dat tot nu toe geen van de kleinkinderen oma ernaar gevraagd heeft. Oma vindt het blijkbaar onze taak om vragen te stellen. Ze is nooit naar ons toe gekomen of er uit zichzelf over begonnen. Soms denk ik dat ze gewoon nogal onzeker is.

Ook Tino is niet erg spraakzaam. Maar die kwestie met oma's zus houdt hem wel bezig.

'Wist jij dat jouw... oudtante ook zo jong aan borstkanker is overleden?' vraagt hij ten slotte.

'Nee, dat wist ik niet,' zeg ik.

'Maar dat betekent toch dat het vrijwel zeker een erfelijke vorm is?'

Dat was me al duidelijk. Ik ben per slot van rekening lerares biologie. Ik weet dus echt wel hoe het zit met die erfelijkheid. Bovendien heeft deze vorm van kanker bij ons in de familie al zoveel vrouwen geveld – natuurlijk heeft dat een erfelijke factor. Eigenlijk wist ik dat al toen ik op het gymnasium zat. Toen vertelde de moeder van een vriend me dat je tegenwoordig een gentest kon laten doen. Dat vertel ik Tino.

'Maar wat kun je doen als je... hoe heet dat, genetisch belast bent?' Hij kijkt me kort aan.

'Dat heb ik toch al eens gezegd? Je kunt je borsten laten afzetten.'

'O ja, dat is waar. Dat had ik zeker verdrongen.'

Ik had zelf bedacht dat ik de komende drie jaar nog kan proberen een vaste baan te krijgen als lerares. Dan een kind krijgen dat ik borstvoeding kan geven en misschien zelfs een tweede er meteen achteraan. Vervolgens de DNA-test en afhankelijk van het resultaat een amputatie met borstreconstructie. Ik heb gehoord dat een dergelijke ingreep tegenwoordig heel mooi resultaat oplevert, dat heeft een gynaecologe me tenminste ooit verteld.

Het is niet de eerste keer dat Tino en ik het hierover hebben. Maar hier in de auto, na het bezoek aan oma, lijkt dit alles opeens een stuk dringender. Ook voor Tino voelt het plotseling als iets wat binnenkort realiteit kan worden.

'En dan met je eigen spieren weer herstellen,' voeg ik eraan toe. 'Dat is wat ik ervan weet,' zeg ik er nog achteraan.

'Waar komen die spieren vandaan?'

'Uit je rug, geloof ik.'

Het is inmiddels donker geworden, we verlaten de snelweg na Bad Dürrheim en rijden de laatste 50 kilometer over de provinciale weg, langs Neustadt en Hinterzarten.

'Wanneer wil je de test doen?'

Tino pakt de draad van het gesprek weer op terwijl we door het Höllendal naar beneden rijden. Ik ben achtentwintig, in oktober word ik negenentwintig. Voor mij ligt de grens bij dertig, daarna wil ik me er pas echt mee bezighouden. Voor die tijd is het risico heel klein, zo dacht en denk ik nog steeds. Toen ik na een paar jaar studeren naar Freiburg verhuisde, heb ik mijn nieuwe gynaecoloog meteen ingelicht over de gevallen van borstkanker in mijn familie, waardoor ik nu jaarlijks een mammografie en tweemaal per jaar een echoscopie onderga. Ik voel me volkomen veilig en daarom begrijp ik Tino's vragen niet goed.

'Ik heb toch nog tijd genoeg?' zeg ik.

Maar hij lijkt niet overtuigd.

Nee, ik was inderdaad niet overtuigd. Het indrukwekkende gesprek met oma had me het een en ander duidelijk gemaakt. Niet alleen dat Evelyns oudtante ook aan borstkanker was overleden, maar ook al die anderen. Van haar familiegeschiedenis had ik tot dan toe altijd alleen maar flarden te horen gekregen. Doordat ik het hele verhaal nu in één keer te horen kreeg, begreep ik voor het eerst dat hier iets verschrikkelijk verkeerd liep. En niet pas sinds de generatie van Evelyns moeder. Maar hoe meer ik erop inging, hoe meer vragen ik kreeg. Alleen Evelyn leek het allemaal niet zo dringend te vinden. Ik begreep best dat ze een bepaalde afstand tot het onderwerp wilde bewaren. Zo interpreteerde ik althans haar antwoorden toen in de auto: maak je niet druk, ik heb alles onder controle. Toch schudde juist het gegeven dat haar oudtante al aan borstkanker was gestorven me wakker. Al begreep ik niet helemaal dat ze het genetische defect – zuiver technisch gezien – niet aan Evelyns moeder had kunnen overdragen. Maar er was wel meer wat ik niet begreep.

In die tijd werkte ik bij een bank in Basel en mijn baan was niet erg uitdagend. Na het bezoek aan oma neus ik op een extreem saaie namiddag op internet rond en ik vind de nodige informatie over het onderwerp. Ik stuit al snel op meerdere centra voor familiaire borst- en eierstokkanker. Het zijn onderzoekscentra van het Duitse kankerfonds, die zich specifiek op vrouwen richten die aan de erfelijke variant van het mammacarcinoom lijden of die uit een hoogrisicofamilie komen. Een toepasselijke term, hoogrisicofamilie, die zeker op Evelyns familie lijkt te slaan.

Ik schuif de muis naar de rand van het scherm. De centra bevinden zich in Berlijn, Bonn, Dresden, Düsseldorf, Hannover, Heidelberg, Kiel, Leipzig, München, Münster, Ulm en Würzberg. Er gebeurt dus nogal wat op dit gebied. Op de pagina's van deze onderzoekscentra vind ik ook meer informatie: zo'n 5 tot 10 procent van alle borstkankergevallen is vermoedelijk te wijten aan een genetisch defect. Dat is niet niks! Tot nu toe zijn er twee gendefecten geïdentificeerd, BRCA1 en BRCA2 – de afkorting staat voor *breast cancer* – en het gaat om een autosomaal dominant erfelijke aandoening. Wat dat precies betekent, weet ik nog vaag uit de biologieles. In feite komt het erop neer dat Evelyn de erfelijke belasting met een waarschijnlijkheid van 50 procent van haar moeder heeft geërfd. Fiftyfifty, dat is nogal wat! Ik schrik ervan.

Dat is nog niet alles. Een vrouw die het gen, of beter gezegd, het gendefect bezit, heeft ongeveer 80 procent kans om borstkanker te krijgen (plus 20 procent kans op eierstokkanker – als kleine toegift zeg maar). Ook bij de beschrijving van de risicofactoren is het bij de familie van Evelyn meteen raak, want al met één van de volgende criteria wordt aangeraden om een centrum te consulteren:

- families met minstens twee gevallen van borst- of eierstokkanker (van wie er één ziek is geworden voor het vijftigste levensjaar);
- families met minstens drie gevallen van borstkanker;
- families met een geval van borstkanker aan één kant op een leeftijd onder de dertig jaar;
- families met een geval van borstkanker aan beide kanten op een leeftijd onder de veertig jaar;

- families met een geval van eierstokkanker op een leeftijd onder de veertig jaar;
- families met een geval van borst- en eierstokkanker, ongeacht de leeftijd.

Per geval worden de mitsen en maren toegelicht en de biologische feiten opgesomd. Tot slot lees ik nog de aanbevelingen voor structurele controles voor vroegtijdige diagnose, een gentest en mogelijke profylactische operaties. Daar wordt meerdere keren de leeftijd van vijfentwintig jaar genoemd. Zou dertig dan al te laat zijn? Uiteindelijk kom ik terecht bij een schema dat het verloop van het hele proces laat zien. Ik lees dat na telefonische aanmelding eerst een adviesgesprek plaatsvindt. Daarna krijg je minstens vier weken bedenktijd voor je voor een gentest kiest. Vervolgens wordt er contact opgenomen met een ziek familielid (ik vraag me af hoe dat moet, Evelyns moeder is al jaren dood, net als haar tantes), komt er een tweede adviserend gesprek, en tot slot wordt er bloed afgenomen van het familielid aan de hand waarvan dan uiteindelijk de diagnose kan worden gesteld. Zodra de uitslag er is, komen er nieuwe gesprekken. Indien nodig wordt het resultaat vergeleken met het bloed van de aanvrager van de test en zo kan een definitieve diagnose worden gesteld.

Het is dus in elk geval een tijdrovende kwestie.

Ik besluit alle informatie uit te printen en mee naar huis te nemen om aan Evelyn te laten zien. Even op 'printen' drukken en snel naar de gang met de printer om de papieren mee te nemen, zodat mijn baas en collega's niet ook plotseling expert op het gebied van familiaire borstkanker worden.

WAAROM TESTEN?

Dit voorjaar sporten we veel, omdat we voor een grote wedstrijd trainen: een oversteek van de Alpen in acht etappes, waaraan we als gemengd team deelnemen. Sporten is voor mij altijd al belangrijk geweest. Vroeger deed ik aan ritmische gymnastiek, daarna ontdekte ik het fietsen en ik vind hardlopen nog altijd erg leuk. Eigenlijk was het mijn huisarts die me destijds adviseerde aan duursport te doen om mijn lage bloeddruk wat op te krikken. Vanaf dat moment begeleidde ik mijn vader op zijn rondjes over het plaatselijke trimparcours. Toen ontdekte ik het fietsen: eerst op een sportfiets, maar al snel was me duidelijk dat dat een slap compromis was. Een mountainbike moest er komen. Tja, en sinds ik in Freiburg woon, in een mooie omgeving met veel kleine weggetjes met weinig autoverkeer, is een racefiets natuurlijk ook een must.

Op de mountainbike ben ik al drie keer de Alpen over gefietst, maar dat waren geen wedstrijden. Afgelopen jaar hebben we ons dus aangemeld voor de Transalp Challenge, een ietwat krankzinnig plan, waarvoor we dan ook behoorlijk serieus aan het trainen zijn. Nu de dagen weer langer worden, fietsen we doordeweeks een korte ronde in de bergen in de omgeving. Meestal beklimmen we de Rosskopf en rijden dan via de Höhenrücken verder naar de Flaunser, waar de Kandelhöhenweg naar St. Peter voert. Vanavond hebben we niet veel tijd, dus besluiten we de weg door het Dreisamdal te nemen.

We wonen op nog geen twee minuten van het bos, erg handig: we hebben daardoor als het ware een directe aansluiting op de Schauinsland. Aan de andere kant zijn we ook binnen enkele minuten te voet in de binnenstad. Dat is het mooie aan Freiburg: deze combinatie biedt vrijwel geen enkele andere grote stad. Het eerste halfuur slingeren we zwijgzaam door het bos, want het gaat voortdurend bergop. Af en toe schiet een *downhiller* langs ons naar beneden, gewapend met een *full-face-helm* en beschermers. De Rosskopf is de vaste berg van de jongens met de hoge vering. Verder heerst er een aangename rust. Onze spieren worden langzaam warm, onze benen bewegen steeds soepeler en lichter – en alle gebeurtenissen van de dag verdwijnen langzaam uit mijn gedachten.

Voorbij de top van de Rosskopf leidt de weg over de Höhenrücken naar het oosten. We komen langzaamaan in gesprek en Tino vertelt me over zijn speurtocht.

'Blijkbaar bestaan er centra voor familiaire borstkanker die speciale voorzorgsmaatregelen treffen voor betrokkenen...'

Even gaat het bergop en kost het te veel moeite om te praten. Dan komt er een kort stuk over een smal wandelpad over een weide. We hobbelen over wortels, ontwijken stenen en zoeven tot slot langs een kleine helling omlaag. Bij een kleine schuilhut bij de Streckereck wordt de weg weer wat breder.

'... je voldoet aan de criteria, volgens mij...'

De volgende steile klim dient zich aan, weer het bos in, waarna we een mooi uitzicht op de Rijnvlakte tot aan Kandel hebben. Hier liggen grote keien en we beginnen onze benen te voelen, tot de weg weer omlaag gaat.

'... op je vijfentwintigste beginnen ze al met alle mogelijke controleonderzoeken en bij mensen uit hoogrisicofamilies maken ze ook nog eens per jaar een MRI-scan...'

MRI-scan? O, die heb ik nog nooit gehad. Is mijn gynaecoloog daar wel van op de hoogte? denk ik.

'Maar wat ik niet begrijp,' zegt Tino, 'is hoe het zit met het bewijs. Daarvoor is bloed nodig van een ziek familielid. Maar die zijn bij jullie toch allemaal al lang overleden.'

Wat zei Tino daar nu? Hij heeft gelijk: de laatste tante die overleed, is twee jaar geleden begraven. Waar moet dat levende familielid vandaan komen? Ik haal mijn schouders op. Dat weet ik ook niet. Er schieten verschillende gedachten door mijn hoofd. Misschien kan het bij mij helemaal niet getest worden? Een verontrustende gedachte. Ik was er altijd van uitgegaan dat ik ooit een definitief antwoord zou krijgen op de vraag of ik dit gendefect bezit of niet. Maar wat als die zekerheid helemaal niet gegeven kan worden? Hoe kan ik met die onzekerheid leven? Er komt een lichte paniek op. Had ik me er dan toch al veel eerder mee bezig moeten houden? Gaat mijn plan met die twee kinderen dan misschien helemaal niet door?

De bosweg gaat weer omhoog en kort daarna slaan we een paadje in, dat je in opperste concentratie moet beklimmen. Gelukt, we staan op de top van de Flaunser, die eigenlijk gewoon een weinig spectaculaire splitsing in het bos is.

'In elk geval duurt het proces behoorlijk lang.' Tino haalt zijn windjack uit de achterzak van zijn shirt en trekt het aan. Ik neem een slok uit mijn drinkfles.

'Hoe bedoel je, proces? Hoe gaat dat allemaal in zijn werk?'

'Ik heb het voor je uitgeprint. Het zit thuis in mijn tas. Kom, we fietsen verder.'

Ik trek ook iets aan en concentreer me, de afdaling is met name in het begin niet ongevaarlijk, vooral omdat het al wat schemerig is. Over de steile en rotsachtige paden en bosweggetjes, langs een kapelletje op een open plek in het bos, dan weer onder de bomen door, een laatste weg vol keien en diepe groeven, en dan rijden we weer op het asfalt, terug naar Freiburg. Verontrustende gedachten malen door mijn hoofd. Ik moet mezelf dwingen rustig te blijven. Nu in paniek raken heeft geen zin. Het lijkt allemaal veel ingewikkelder dan ik het me had voorgesteld. Op papier wordt het me vast duidelijker. Jee, ik was nog helemaal niet van plan me hiermee bezig te houden.

Toen de moeder van een vriend me jaren geleden op de gentest wees, stond ik er nog erg afwijzend tegenover. Wat heb ik eraan of ik het weet of niet? Ik kon er toch niets aan veranderen! Ze gaf me destijds een notitieblaadje met het telefoonnummer van het Duitse kankerfonds. 'Mocht je ooit meer willen weten,' zei ze. Het blaadje hing ik op het prikbord boven mijn bureau en daar overleefde het zelfs twee of drie verhuizingen. Maar op een gegeven moment heb ik het weggegooid. Ik zag nog steeds niet in waarom ik een test zou laten doen. Alleen om te weten dat ik een verhoogd risico heb om ziek te worden?

Een paar jaar later vertelde een gynaecologe me echter over de mogelijkheid het borstweefsel uit voorzorg te laten verwijderen. Dat was toen louter toeval. Ik was op zoek naar een nieuwe gynaecoloog en kreeg een naam van een vriendin. Die arts stelde me de gebruikelijke vragen en ik vertelde voor de zoveelste keer het verhaal over het spoor van vernieling dat kanker in mijn familie had achtergelaten. Deze arts vroeg me of ik wist dat het mogelijk was om me te laten testen. Ik antwoordde bevestigend, maar voegde eraan toe dat ik liever in onwetendheid leefde dan met de voortdurende angst dat het elk moment zo ver kon zijn. Ze vertelde me toen dat ik ook kon worden geopereerd, een preventieve mastectomie. Maar om te beginnen legde ze me strikte preventieve onderzoeken op: eenmaal per jaar een mammografie, tweemaal per jaar een echo.

Mastectomie – het volledig verwijderen van het borstweefsel – zo heet dat in medisch jargon. Dat was natuurlijk geen leuk vooruitzicht. Maar nu ik wist dat er een behandeling mogelijk was, leek een test me voor het eerst zinvol. Ik besloot toen dat ik het *ooit* zou doen, op mijn dertigste. Toch heb ik die arts nooit meer gezien. Bij het volgende preventieve onderzoek was ze op vakantie en ben ik naar haar vervanger gegaan, een man, dokter Schmieder. Bij hem kom ik nog altijd.

'Waar zijn die papieren?'

We trekken laag voor laag onze fietskleren uit en gooien ze in de wasmachine.

Tino pakt zijn tas, haalt er enkele vellen papier uit en houdt ze onder mijn ogen. Op zijn gezicht zitten nog vuil en stof van de afdaling door het bos.

'Die centra zitten overal in Duitsland. Het dichtstbijzijnde is...' Hij gaat met zijn vinger langs de regels. 'In Ulm zit er een!'

'Het borstkankercentrum in Ulm? Nee, dat kan niet.'

Tino kijkt me verbaasd aan. 'Waarom kan dat niet?'

Ulm kan niet. Absoluut niet! Mijn moeder moest aan het begin van haar ziekte vaak naar het academisch ziekenhuis in Ulm, dat op ongeveer een uur rijden lag van Göppingen, waar ik ben opgegroeid. Ze kreeg er volgens mij regelmatig chemotherapie en werd er een paar keer geopereerd. Ik weet het allemaal niet meer precies. Al die tijd dat ze ziek was – een periode die ongeveer twee jaar heeft geduurd, en toen ze ziek werd was ik ongeveer twaalf – heb ik niet geweten dat ze kanker had. Terwijl ik door de ziekte van mijn tante al wist dat je bij kanker chemotherapie krijgt. Bij mijn moeder heb ik dat blijkbaar niet willen weten. Ik zag gewoon het verband niet. Niemand heeft er ook ooit iets over gezegd. Pas na haar dood hoorde ik mijn vader in een telefoongesprek zeggen: '... die rotkanker!' Toen werd me in één klap duidelijk wat ik al die jaren niet had willen of kunnen weten.

Ik herinner me nog dat mijn moeder een keer met helse pijnen op een speciaal kussen op de bank in de woonkamer zat (de kanker was uitgezaaid en had een wervel te pakken, die inmiddels door een kunstwervel was vervangen). Volslagen naïef, zoals kinderen nu eenmaal zijn, vroeg ik haar: 'Mama, hoe kan je nou je hele leven al die pijn uithouden?'

Ik weet niet meer precies wat ze heeft geantwoord. In elk geval gaf ze me het gevoel dat het allemaal wel meeviel.

Mijn moeder droeg natuurlijk een pruik. Dat wist ik ook. Ze maakte er met ons zelfs grapjes over. Toch heb ik haar nooit kaal gezien. Ik wist dat ze 's nachts meestal zo sliep, maar als we 's morgens in de slaapkamer kwamen, had ze in elk geval haar pruik weer op. Toen ze weer haar kreeg, waren we allemaal ontzettend blij. We maakten plannen over wat voor kapsels we met haar nieuwe korte haar zouden maken. Het was niet meer dan wat babyachtig dons, wat misschien een teleurstelling had moeten zijn, maar dat kon me niet schelen. Het was goed zo.

Dat mijn moeder zou overlijden, hoorde ik bij toeval. Op de dag voordat ik op schoolkamp ging. Ik ging in mijn eentje naar haar toe in het ziekenhuis. Ze lag inmiddels voortdurend in Göppingen, omdat Ulm te ver voor haar was. Daardoor kon ik met de bus naar haar toe. Het was een vreemde dag, anders dan andere dagen. Dat was toen meer een gevoel dan een wetenschap. Achteraf was het natuurlijk overduidelijk. In haar kamer stond de airco aan, daarom mochten de ramen niet open. Vreselijk! In de droge lucht kreeg ik steeds schrale lippen en daarom had ik altijd mijn Labello bij me. Zoals altijd vroeg ik mijn moeder of ze hem wilde gebruiken. Ze reageerde niet. Maar ik had de stick nog niet opgeborgen, of ze vroeg of ik Labello bij me had. Ik haalde hem weer tevoorschijn en gaf hem haar, maar ze kreeg hem niet open en ik zag dat ze aan de verkeerde kant trok. Daar snapte ik helemaal niks van! Bovendien kreeg ik die middag de indruk dat ze de druppels van haar infuus telde. Het was duidelijk dat ze in de war was.

Achteraf begrijp ik dat ze toen al morfine kreeg, maar toen wist ik daar niets van. Die middag kwam ook een vriendin van mama op bezoek. Ze had – zoals al mama's kennissen – een thermoskan koffie bij zich. Mijn moeder was altijd een grote koffieleut geweest, maar zelfs koffie wilde mijn moeder nu niet. Of ze merkte misschien niet eens dat haar vriendin haar een kopje wilde geven.

Ik zag dat allemaal wel, maar dacht er verder niet over na. Toen ik aanstalten maakte om te vertrekken, bood die vriendin me een lift naar de stad aan, zodat ik niet met de bus hoefde. Dat was natuurlijk handig. Toen we over de parkeerplaats naar haar auto liepen zei ze: 'Je beseft toch wel dat je moeder waarschijnlijk niet meer leeft als je terugkomt van schoolkamp, of niet?'

Dat was een schok. Ik weet niet meer of en wat ik heb geantwoord. Van de autorit kan ik me ook niets meer herinneren. Ze zette me af in het centrum, vlak bij mijn vaders werk. Even vroeg ik me af of ik nu naar hem toe moest gaan, maar zijn werk was altijd erg belangrijk voor hem en bovendien wist ik niet zo goed wat ik eigenlijk van hem wilde. Ik moest in de stad nog wat dingen kopen voor op schoolkamp. Zou ik misschien beter meteen naar huis kunnen gaan? Maar wat moest ik thuis doen? Ik besloot in elk geval wel het hoogstnodige te kopen. Thuisgekomen belde ik toch maar mijn vader op.

'Papa, komen wij ook in het tehuis als mama doodgaat?'

Bij mijn twee nichtjes was het zo gegaan, toen mijn tante een paar jaar daarvoor was overleden en haar man niet voor de kinderen kon zorgen. Hij is verpleger en heeft regelmatig nachtdiensten. De meisjes waren te jong om voortdurend alleen te zijn. Mijn vader antwoordde dat wij niet in een kindertehuis terecht zouden komen. Later, ik weet het niet precies meer, zei hij dat ik in elk geval op schoolkamp kon gaan. Als mama inderdaad in die week zou overlijden, zou hij me komen ophalen. Volgens hem zou ik er later spijt van krijgen als ik niet bij de begrafenis was geweest. Ik vond het maar een bizarre gedachte en ik vond het eerder gênant ten opzichte van de andere kinderen als hij me daarom vroeger zou ophalen. Eigenlijk was alles raar.

Ik heb uiteindelijk het hele schoolkamp meegemaakt, want mijn moeder stierf uitgerekend op de dag van onze terugreis. Het was rond de middag. We reden met de bus langs een vakantieoord waar ik met mijn ouders al eens was wezen skiën. In de bus was de stemming zoals gebruikelijk uitgelaten. Maar ik wilde plotseling alleen zijn. Ik kroop stilletjes in een hoekje en staarde naar buiten. In Göppingen stonden mijn vader en mijn broertje me op te wachten. Thuis kregen we berlinerbollen hoewel het al etenstijd was, en de werkster was er ook nog. Daardoor besefte ik dat er iets niet klopte. Toen mijn vader vervolgens zei dat mama net was overleden, wilde ik als eerste weten of ik de dag erop toch naar de verjaardag van een vriendin mocht. 'Je mag alles doen wat je leuk vindt,' antwoordde mijn vader.

Zodra het iets warmer wordt, begint onze binnentuin op een camping aan het Gardameer te lijken. We wonen in een wijk met fraaie huizen uit het einde van de negentiende eeuw, vier verdiepingen hoog, die een diepe, groene binnentuin met veel bomen en ander groen omsluiten. In het midden staat een reusachtige den, die boven de huizen uitkomt. De den is een soort gigantisch pretpark voor de vogels uit onze straat en vooral 's ochtends klinkt vanaf zijn forse takken een bijna oorverdovend gekwetter.

Op warme avonden zitten de mensen op hun terras of balkon te barbecuen of gewoon te genieten van hun avondeten. Meestal is er wel ergens een feestje of een vrolijk groepje mensen en galmt er gelach tussen de huizen. Onze slaapkamer ligt eigenlijk 'rustig' aan de achtertuin, maar op zwoele avonden kunnen we soms moeilijk in slaap komen vanwege het lawaai. Vanavond is het wel echt rustig, slechts af en toe komt er wat geroezemoes omhoog. Ik ben slaperig, maar er schiet nog veel door mijn hoofd. Ik wil zeker niet in Ulm naar dat centrum voor familiaire borstkanker; de herinneringen zijn voor mij te beklemmend. Bonn klinkt goed. Mijn zus studeert sinds kort in Bonn, dus kan ik een afspraak in het borstkankercentrum met-een combineren met een bezoek aan haar. Om het onaangena-me met iets aangenaams te compenseren, zeg maar. Tino heeft de uitgeprinte teksten op mijn bureau gelegd, ik zal deze week eens opbellen. Ik moet het toch ooit doen.

DAN IS HET ALLEMAAL MIJN SCHULD

De vrouw aan de andere kant van de lijn heeft een Rijnlands accent en is erg aardig. Na lang wikken en wegen prikken we een datum in de pinkstervakantie. Doktersafspraken handel ik het liefst in de vakanties af. Als ik een hele schooldag verlies door een afspraak bij de dokter, is het onwaarschijnlijk dat ik alle leerstof kan behandelen. Daarom maak ik altijd een schema van alle onderwerpen die ik gedurende het schooljaar moet behandelen. Ik had vroeger nooit gedacht dat je als leraar zo onder druk staat om de stof op tijd af te krijgen. Lesuitval wil ik daarom tegen elke prijs vermijden.

Bovendien wil ik immers het onaangename met het aangename combineren en mijn zus in Bonn opzoeken. Ze studeert daar al een jaar levensmiddelentechnologie. Op de een of andere manier lijken we allemaal op onze moeder, wat ons vak betreft tenminste, want ook mijn broer is natuurwetenschapper. Mama gaf les in wiskunde en biologie.

Een paar dagen later ligt er een brief van het centrum voor familiaire borstkanker in de brievenbus. De afspraak wordt bevestigd en daarnaast vragen ze me alle mogelijke gegevens over al mijn gestorven familieleden bij elkaar te zoeken: begin van de ziekte, diagnose, soort en plaats van de behandeling, datum van overlijden, enzovoort. Deze gegevens zijn weliswaar niet nodig voor de gentest, maar wel voor het onderzoek. Eerlijk gezegd wordt er in onze familie zo weinig over gesproken dat ik amper iets weet. Ik moet het dus aan oma vragen. Dat wordt niet gemakkelijk. Ik betwijfel of ze genetische tests wel met haar geloof kan verzoenen. Oma is katholiek en het geloof betekent veel voor haar. Wellicht is een gentest voor haar al een te grote inmenging met het lot. Kan ik haar wel goed uitleggen waar het hier om gaat?

'Oma? Ik ga me laten onderzoeken in een speciaal centrum voor familiaire borstkanker. Ik heb het een en ander gelezen en ik ben er behoorlijk zeker van dat borstkanker in onze familie erfelijk is. De medische wetenschap is tegenwoordig zo ver dat ze kunnen testen of er sprake is van erfelijke belasting. Als ze ontdekken dat ik er ook mee belast ben, kunnen ze voorzorgsmaatregelen treffen. In dat centrum kan ik zo'n test laten doen.'

'Hoe gaat dat in zijn werk dan?'

'Het bloed wordt onderzocht op bepaalde kenmerken,' leg ik sterk vereenvoudigd uit. 'Het kan zijn dat in onze familie iedereen dezelfde kenmerken heeft.'

'Dan is het dus allemaal mijn schuld!'

Hoe komt ze daar nou opeens bij? Dat is toch volstrekt absurd. Het heeft helemaal niets met schuld te maken.

'Oma! Dat kon je toen toch helemaal niet weten? Ik wil gewoon niet de volgende zijn. Ik kan er nu wat tegen doen en dat is alleen maar mooi.'

'En wat ga je dan doen als je die kenmerken hebt?'

'Ik kan bijvoorbeeld, voor ik kanker krijg, mijn borstweefsel laten verwijderen en reconstrueren.'

'Dat meen je toch niet!'

'Jawel, oma. Zou je alsjeblieft voor me kunnen opschrijven wanneer mama en mijn tantes ziek zijn geworden, wat ze precies hadden en wanneer ze zijn overleden? Ik heb die informatie nodig.'

Ze is behoorlijk boos en beëindigt ons wekelijkse telefoongesprek vrij snel.

DNA is pas vijftig jaar geleden ontdekt en de genetische test voor familiaire borstkanker werd pas in de jaren negentig ontwikkeld. Hoe kan dit nu haar schuld zijn? Oma is dus niet blij met mijn verzoek om informatie. Ze wil er gevoelsmatig zo min mogelijk mee te maken hebben.

Een paar dagen later stuurt ze me een lijst met notities. Daarop heeft ze de gegevens van haar dochters en nog wat andere informatie genoteerd. Ze heeft er een geeltje op geplakt: 'Hallo Evelyn, ik hoop dat deze gegevens voldoende zijn. Anders bel je maar. Liefs, oma.' Normaal gesproken doet oma er op zijn minst een gezellig kaartje bij. Dit moet me nog eens duidelijk maken hoe weinig heil ze hierin ziet. Maar goed, ze heeft de informatie wel bij elkaar gezocht. Ze had het ook kunnen weigeren. Waarschijnlijk begrijpt ze wel dat het niet volkomen onzinnig is wat ik van plan ben.

Het is niet anders. Ik schrijf het weinige dat ik weet op en stuur het naar Bonn. Van mijn tante, de enige van de vier dochters die geen kanker heeft gekregen, krijg ik ook nog wat gegevens. Haar jongste zus had volgens haar waarschijnlijk een nonHodgkinlymfoom. Oma wist alleen nog 'Hodgkin'. In elk geval een tumor in het lymfestelsel. Ik heb geen idee of dat ook in verband kan worden gebracht met familiaire borstkanker. Hoe dan ook, ook zij is op heel jonge leeftijd ziek geworden en een paar jaar later aan kanker gestorven.

Mijn vader reageert ook afwijzend. 'Laat het verleden toch eindelijk eens rusten!' snauwt hij als ik hem door de telefoon over Bonn vertel. Dat raakt me natuurlijk. Zo reageerde hij vroeger ook al. Ik hang zo snel mogelijk op. Tino heeft het opgevangen en schudt verbaasd zijn hoofd. Een paar uur later belt mijn vader terug om zich te verontschuldigen. Hij biedt zelfs aan mee naar Bonn te gaan als ik dat wil, maar ik bedank.

Tino moet werken; in Zwitserland heb je niet zoveel vakantie-
dagen, dus gaat hij niet mee. En al had hij wel tijd, ik wil het
niet. Natuurlijk kan ik ook een vriendin vragen, maar iets in mij
verzet zich daartegen. Het klinkt misschien vreemd, maar eigenlijk ga ik het liefst in mijn eentje.

Dus reis ik alleen af naar het noorden.

OMA'S BLOED

Een paar weken geleden is het centrum verhuisd van Bonn naar Keulen. Ik moet dus eerst naar het academisch ziekenhuis van Keulen voor mijn afspraak met dokter Rita Schmutzler en daarna ga ik naar mijn zus in Bonn. Het is pinkstervakantie, 11 juni 2003, het is officieel nog voorjaar, maar de zon brandt fel. Ik heb alles uitgeprint: vanaf het centraal station van Keulen moet ik de metro nemen, daarna stap ik over op de tram. Er zijn veel mensen uit andere culturen onderweg en dat zijn we in Freiburg niet gewend. Normaal gesproken geniet ik ervan, maar vandaag ben ik geïrriteerd. In het metrostation kan ik me eerst niet oriënteren. Waar moet ik naar boven, welke kant moet ik op? 'Verlies uw bagage niet uit het oog!' wordt er voortdurend omgeroepen. Keulen, de stad van de zakkenrollers! Vandaag werkt het me op de zenuwen; anders zou ik erom lachen. Eenmaal boven kom ik uit op een groot plein waar het markt is. Ook hier is het een drukte van jewelste. Ik schuifel door de menigte met mijn grote rugzak, waarin een slaapzak en een matje zitten. Daarnaast heb ik nog een stapel proefwerken bij me, want de tijd in de trein kan ik goed gebruiken om na te kijken. Eindelijk vind ik de halte voor de tram naar het ziekenhuis.

Kerpenerstraat. Ik stap uit en loop naar de ingang. De portier wijst me waar ik moet zijn en ik kom terecht bij een dame die me meteen een vragenlijst in mijn handen duwt.

Braaf begin ik kruisjes te zetten, maar ik heb het idee dat er iets niet klopt. Ik bekijk de vragenlijst eens goed en zie dat het een opnameformulier voor nieuwe patiënten is.

'Sorry, is dit niet het centrum voor familiaire borstkanker?'

Daar weet de vrouw helemaal niets van en ze gaat het een collega vragen. Na lang wachten komt ze terug en ze legt uit waar ik moet zijn. Hopelijk klopt het deze keer. Ik pak mijn spullen weer en loop door lange gangen, waarin een onaangename ziekenhuislucht hangt. Ik klop ten slotte op een deur. Aan de andere kant van de gang zie ik een jonge vrouw in een rolstoel. Ze is kaal.

'Binnen!'

Gelukkig, ik ben goed. De secretaresse, een opgewekte vrouw uit het Rijnland, verwachtte me al en begroet me hartelijk.

'Heeft u het allemaal kunnen vinden? Wat? Komt u helemaal uit Freiburg?'

Ze is nogal verbaasd over mijn lange tocht en ik vertel haar over mijn zus in Bonn.

We vinden een plek voor mijn rugzak en ik ga in de wachtkamer zitten. Aan de muur hangen een paar foto's van pasgeboren baby's. Hoe toepasselijk, denk ik ironisch. Ik moet eerst een psychologische test invullen. Vragen over slaapstoornissen, gebrek aan eetlust of andere problemen moeten mogelijke persoonlijke problemen van de aanvrager aan het licht brengen. Bij mij is alles in orde en de lijst is dan ook snel ingevuld.

Er gaat een deur open en Rita Schmutzler, het hoofd van het centrum, geeft me een hand. Ze heeft haar bruine haar in een paardenstaart en ziet er knap en vriendelijk uit. 'Mijn excuses, door de verhuizing is alles nog wat provisorisch.' Voor een professor is ze behoorlijk jong, vind ik; ze ziet er in elk geval jong uit.

Na even zoeken vinden we een vrije kamer. Ze legt eerst kort een en ander uit over het centrum en vertelt me dan over een wetenschappelijk onderzoek waaraan ik kan deelnemen. Een voordeel voor mij zou dan zijn dat de jaarlijkse MRI-scan wordt betaald – MRI-scans worden nu nog niet door de verzekering gedekt; de kosten worden uit onderzoeksmiddelen betaald. Bovendien word je als deelnemer aan het onderzoek natuurlijk voortdurend over de nieuwste ontwikkelingen geïnformeerd. Als ze klaar is, leg ik haar uit dat ik hier ben om me te laten testen. Dat hele gedoe met een adviserend gesprek, bedenktijd, een tweede gesprek, enzovoort, kunnen we wat mij betreft overslaan.

'Goed, mevrouw Heeg, laten we dan eerst de gegevens over uw familie bespreken.'

Ik geef haar de informatie over mijn overleden familieleden. De arts schetst ondertussen een stamboom van mijn familie van moederskant. Als ze klaar is, bekijkt ze hem kort.

'Uw grootmoeder moet de draagster van de genmutatie zijn.'

Ze licht het me toe aan de hand van de stamboom. Ja, dat is duidelijk. De mutatie komt of van opa of van oma. Aangezien er aan opa's kant – tenminste voor zover ik weet – geen gevallen van borst- of eierstokkanker voorkomen, komt de mutatie hoogstwaarschijnlijk van oma's kant. Oma heeft de mutatie doorgegeven aan haar dochters. Zelf is ze ook ziek geworden, maar pas heel laat.

'Dan hebben we het bloed van uw grootmoeder nodig om de test uit te voeren.'

Oma? Dat kan niet! Dat zou haar schuldgevoel alleen maar groter maken, schiet het door mijn hoofd.

'Waarom is dat nodig?'

'Allereerst wordt het bloed van uw grootmoeder onderzocht op een van de twee bekende mutaties. Alleen als we bij haar BRCA1 of BRCA2 vinden, heeft het zin om ook u te testen.'

Wetenschappers vermoeden weliswaar dat er nog andere genetische defecten bestaan die familiaire borstkanker kunnen veroorzaken, maar die zijn tot nu toe niet gevonden.

'Als we dus alleen uw bloed onderzoeken, mevrouw Heeg, en we vinden geen defect, dan kunt u in theorie altijd nog BRCA3 of 4 of x hebben. We kunnen dan het genetisch defect niet uitsluiten, maar als we bij uw oma variant 1 of 2 vinden, dan kunnen we daar bij u gericht naar zoeken en u vervolgens een nauwkeurige uitslag geven.'

In het beste geval heb ik dan het 'normale' borstkankerrisico van vrouwen in Duitsland, dat rond de 10 procent ligt, maar wat eigenlijk ook al betrekkelijk hoog is. In het slechtste geval kan de kans op meer dan 80 procent komen te liggen. Ik ken de cijfers al. En dat de kanker niet altijd zo lang wacht als bij oma, heb ik al vaak genoeg gezien.

Het zal ook het langst duren om oma's bloed te onderzoeken, want de veranderingen van de genen moeten op verschillende plaatsen in het DNA worden onderzocht. Bovendien worden er altijd meerdere DNA-tests tegelijk uitgevoerd om de kwaliteit te garanderen. Het is dus logisch dat er allereerst genoeg bloedproeven moeten worden verzameld. Daarom kan de wachttijd tot een jaar oplopen.

'En als bij mijn grootmoeder niets wordt gevonden?'

De arts legt me uit dat ik dan alleen de berekende waarde, die de analyse van mijn stamboom oplevert, te weten kom. Dat risico ligt ergens tussen de 40 en 50 procent tot een leeftijd van tachtig jaar.

'Het zal vrij moeilijk worden om bloed te krijgen van mijn grootmoeder,' aarzel ik.

De arts raadt me aan het via de huisarts te regelen. In uitzonderingsgevallen volstaat een schriftelijke verklaring en een officiële goedkeuring die de betrokkene moet ondertekenen en die dan samen met het bloed naar Keulen wordt gestuurd. Ik krijg meteen de documenten waarmee mijn oma direct naar haar huisarts moet gaan. Hij kan alle informatie uit de documenten halen en oma hoeft alleen nog maar bloed te laten prikken en een handtekening te zetten.

Ik blijf sceptisch. In de praktijk kunnen er een hele hoop complicaties optreden. Bovendien durf ik haar eigenlijk niet nog eens om een gunst te vragen in deze kwestie. Aan de andere kant: ze is mijn enige kans. Ach wat, het is niet alleen voor mezelf, maar ook voor mijn zus en al mijn nichtjes. Ze is in onze familie waarschijnlijk de enige nog levende draagster van de mutatie: als deze toestand niet zo tragisch was, zou je bijna zeggen dat we dubbel geluk hebben. Zijzelf heeft, hoewel ze waarschijnlijk belast is, namelijk pas op late leeftijd borstkanker gekregen, en dat is weer een geluk voor ons. Als ze ons geen bloed geeft, kan niemand in de familie door een test zekerheid krijgen.

Ik geef zelf ook nog bloed, zodat ik op tumormarkers kan worden onderzocht. Dit zijn parameters in het bloed die aanduiden dat ergens in het lichaam een tumor is ontstaan. Nu wordt het dus menens. Bovendien krijg ik nog een echo van mijn borst; dat doet de arts meteen zelf.

'Alles is in orde. Maar uw weefsel bevat wel bijzonder veel klieren.'

Die uitspraak werkt me onderhand op de zenuwen, want dat zegt elke gynaecoloog bij het maken van een mammogram. 'Uw borsten bevatten wel *heel* veel klierweefsel.' Dat klinkt toch enigszins alsof ik abnormaal ben, ook al bedoelen de artsen het vast niet zo.

De MRI-scan wordt uitgesteld tot mijn volgende bezoek aan Keulen; daar is nu geen tijd voor. Bovendien moet ik ook nog voor een adviesgesprek naar het centrum voor genetica en dan wordt alles in een keer gedaan. Ik krijg ook nog instructies voor zelfonderzoek van mijn borsten mee. Dat moet ik één keer per maand doen, wat ik eigenlijk al wist. Toch heb ik het daar tot nu toe niet zo nauw mee genomen. Het is ook moeilijk, want ik weet helemaal niet hoe een tumor aanvoelt! Voel ik daar gewoon klierweefsel of woekert er al iets? Ik geloof niet dat ik ooit een liefhebber zal worden van dit soort zelfonderzoek.

Gelukt, ik sta weer buiten. Nu moet ik eerst even bijkomen. Ik besluit het hele eind naar het centrum van Keulen te lopen. Wandelen doet me in zulke situaties altijd goed. Er kunnen maar twee van de minimaal vier mutaties worden gevonden. Dat is nu net niet wat ik wilde horen. Definitieve zekerheid kan ik dus waarschijnlijk wel vergeten. Maar wat moet ik doen als ze geen mutatie vinden? Meer controles uiteraard, maar is dat voldoende? Kan ik daarmee leven? Ik kan me veel voorstellen, maar ik betwijfel of ik ooit een chemokuur zou ondergaan. Natuurlijk, zeg nooit nooit; wie weet hoe je in zo'n situatie handelt. Toch kan ik het me niet voorstellen. Toch lijkt het me allemaal vrij hopeloos. Ja natuurlijk, de medische wetenschap is veel verder, de bijwerkingen zijn niet meer zo erg als toen bij mijn moeder, maar ik ben nog niet overtuigd. Wat dus als ik geen zekerheid krijg?

De tramrails blijven volgen; dan kan er niets verkeerd gaan, dan vind ik het wel. Bij de mensa van het academisch ziekenhuis heerst een grote bedrijvigheid, studenten zitten in de zon, eten, praten en lachen. Ik ben echt even jaloers op hun onbezorgde leven. Een paar meter verderop is een bakkerij en ik koop wat te eten. Ik begin weer op verhaal te komen. Het heeft me allemaal behoorlijk aangegrepen. Ik bel Tino. Hij zat duidelijk al te wachten op mijn telefoontje. 'En? Hoe is het gegaan?'

'Wel oké, maar ze hebben oma's bloed nodig.'

'Van oma, hoezo?'

'Voor het onderzoek, want de mutatie komt heel waarschijnlijk van haar. Eerst kijken ze bij haar of het variant 1 of 2 is.

Alleen als ze bij oma iets vinden, wordt ook bij mij de test gedaan.'

Tino begrijpt het niet meteen. 'Maar waarom kijken ze niet meteen bij jou naar mutaties?'

'Omdat ze dan geen definitieve uitspraak kunnen doen. Als ze bij oma 1 of 2 vinden, zoeken ze bij mij ook naar 1 of 2. Als ze bij oma niets vinden, is het waarschijnlijk een tot nu toe onbekende mutatie. Maar dan heeft een test voor mij ook geen zin. Begrijp je?'

Het is even stil.

'Dus jouw bloed wordt pas onderzocht als ze bij oma een van de twee bekende mutaties vinden.'

Precies. Alleen dan. Want alleen dan kunnen ze mij zekerheid geven. Stom genoeg moet ik nu dus hopen dat oma BRCA1 of 2 heeft.

OUDE WONDEN

Juli 2003

Mijn eerste bezoek aan Keulen brengt nogal wat teweeg. Om te beginnen wil mijn zus weten hoe het was. Ik vertel haar precies wat ze mij verteld hebben. Ik weet dat ze niet veel zal zeggen; ze luistert en denkt mee. We weten allebei dat alles wat mij aangaat net zo goed op haar van toepassing is. Met als enige verschil dat ik ouder ben. Ze heeft nog tijd, een paar jaar waarin ze zich geen zorgen hoeft te maken. Zo verloopt ons gesprek dus: ik vertel, zij luistert. Over onze gevoelens praten we verder niet; dat vindt Anette niet belangrijk. Ik begrijp haar heel goed. Voor mij is het prima zo. Onze band is zo sterk dat ze me ook zonder het te zeggen duidelijk weet te maken dat het goed, of beter gezegd, nodig is wat ik doe. Ik ben blij dat ze me geen hypochonder vindt. Niet dat iemand me dat ooit heeft verweten, maar bij gesprekken met vrienden en kennissen over dit onderwerp heb ik vaak de indruk dat ze mijn aanpak overdreven vinden. Borstkanker, zo lijken ze te denken, dat had mijn moeder, tante of oma toch ook.' En zij leven nog steeds, alleen de tumor is bij hen verwijderd. Enzovoort. Dan moet ik toch op zijn minst lichtelijk hysterisch zijn met mijn geklets over een preventieve borstamputatie, zou je denken. Nogmaals, niemand heeft het ooit hardop gezegd, maar ik heb het gevoel dat ik het ze kon horen denken.

De gesprekken met mijn broer en vader verlopen ongeveer net zo als met Anette. Ze zeggen geen van beiden iets, maar ze luisteren in elk geval. Het aanvankelijke onbegrip van mijn vader is verdwenen, hij laat het tenminste niet meer merken. Mijn broer moet ik vertellen dat ook mannen die mutatiedrager zijn een kans van ongeveer 5 procent hebben op borstkanker. Dat hebben ze me in Keulen verteld. Voor mij was dat helemaal nieuw: dat een man borstkanker kan krijgen. Zoiets had ik nog nooit gehoord. Hoe dan ook, ik vertel het hem tijdens ons telefoongesprek. Hij luistert, zonder een woord te zeggen. Ik heb geen idee wat hij ermee zal doen. Omdat hij niet verder vraagt, houd ik er uiteindelijk over op.

In Keulen hebben ze niet alleen gezegd dat ik mijn naaste verwanten in moet lichten, maar ook mijn ooms, tantes, neven en nichten van moederskant. Dat is nogal wat. Ten eerste is onze familie vrij groot. Oma heeft in totaal veertien kleinkinderen, plus haar nog levende dochter en zoon. Ik heb nog maar met een paar familieleden contact. Onze familie is niet meer zo close sinds mijn moeder en beide tantes zijn gestorven. Alleen wanneer oma jarig is en ons allemaal uitnodigt, zien en horen we wat van elkaar. En zelfs dan komt niet iedereen. Daarbij praten we in onze familie eigenlijk niet over kanker. Vreemd genoeg is dat onderwerp zo goed als taboe. Wat ik nu doe, is voor mijn gevoel het taboe doorbreken.

Op dit moment zie ik het niet zitten om iedereen te gaan bellen. Bovendien zijn bijna al mijn nichtjes een stuk jonger dan ik. Voor hen doet dit er allemaal nog niet toe. Ik besluit voorlopig alleen mijn tante op te bellen. Zij weet dat ik het adviserende gesprek heb gehad en vroeg me nadrukkelijk haar na afloop te bellen. Bovendien kan ze me helpen om de anderen in te lichten. Tenslotte hoeft het pas als er een uitslag is, met andere woorden, wanneer duidelijk is of we eigenlijk wel kunnen worden getest. Iedereen onnodig ongerust maken heeft geen zin. Al moeten ze wel weten dat ze vanaf hun vijfentwintigste regelmatig gecontroleerd moeten worden. Maar goed, eerst mijn tante.

Het telefoongesprek verloopt zakelijk. Ik vertel wat ik heb gehoord. We spreken af dat ik de schriftelijke informatie die ik krijg voor haar zal kopiëren. Dat lijkt me een goed idee: mijn tante kan dan alles doorlezen en me eventueel opbellen. Ik vraag haar nadrukkelijk of haar gynaecoloog op de hoogte is van familiaire borstkanker en vooral van de verhoogde kans op eierstokkanker. Ze zei van wel. Nadat ik heb opgehangen voel ik me toch een beetje schuldig omdat ik niet meteen iedereen inlicht. Anderzijds, het zou voor iedereen in onze familie duidelijk moeten zijn dat de kans bestaat dat er in onze familie een erfelijke variant van kanker voorkomt. Toch hebben we er nooit over gesproken. Bij sommigen komt dat misschien ook door hun geloof. Zoals bij oma, die zich meteen schuldig voelde.

Wanneer ik terugkom uit Bonn, ligt er al een brief uit Keulen op tafel. Ze hebben nog meer informatie nodig over mijn overleden familieleden. Als ze eens wisten hoe moeilijk het voor me is om aan die gegevens te komen! Ik bel mijn vader dus nog eens; hij is de laatste bron van informatie.

Ten slotte moet ik nog voor elkaar zien te krijgen dat oma bloed geeft. Dokter Schmutzler had voorgesteld om het door haar huisarts af te laten handelen, maar ik weet niet eens hoe die heet. Ik kan haar ook niet naar haar huisarts vragen, want dan ruikt ze meteen onraad. Ze weet immers ook wel dat ik in Keulen ben geweest. Er zit niks anders op: ik moet eerlijk tegen haar zijn.

'Hallo, oma.'

'Hallo, Evelyn, wat leuk dat je belt. Hoe was het in Keulen?'

Fijn, ze brengt het meteen zelf ter sprake, dat maakt het natuurlijk gemakkelijker!

'Heel leerzaam. Het voelt goed om hiermee bezig te zijn. Ik

weet zeker dat ik de juiste beslissing heb genomen. De arts daar was ook heel aardig.'

'Dat is mooi. En hoe was het bij Anette? Hoe gaat het met haar?' Ze verandert meteen van onderwerp. Veel zin om erover te praten heeft ze dus niet. Ik moet er maar gewoon overheen praten.

'In Keulen hebben ze me ook wat nieuwe dingen verteld. De gentest levert de meeste zekerheid op als eerst jouw bloed wordt onderzocht.'

'Evelyn, dat kan niet. Ik ben niet fit genoeg om naar Keulen te gaan. Dat is me allemaal te veel.'

'Je hoeft helemaal niet naar Keulen, oma. Ik stuur je een brief die je de volgende keer mee naar je huisarts neemt. Je hoeft niet eens speciaal een afspraak te maken. Als je er toch heen moet, neem je de brief mee en hij regelt dan alles verder. Meer hoef je niet te doen. Alsjeblieft, het is heel belangrijk voor me.'

'O, Evelyn, moet dat allemaal? Waarom uitgerekend ik?'

'Oma, daar kan ik ook niets aan doen.'

Ik merk dat ik nog boos word ook. Op mijn lippen liggen verwijten als 'ik wou ook liever dat mama nog leefde en ik deze zorgen helemaal niet had'. Maar daar hebben we nu niets aan. Ze zegt gelukkig niet weer dat het allemaal haar schuld is. Ze wil er alleen niets mee te maken hebben. Natuurlijk, dat begrijp ik maar al te goed: drie van haar vier dochters zijn gestorven aan kanker. En ik zit oude wonden open te rijten. Het spijt me dat ik zo hard tegen haar moet zijn, maar ik heb er goede redenen voor. Bovendien doet ze het niet alleen voor mij. Ten slotte draait ze bij.

'Dus jij stuurt me de brief en ik maak een afspraak bij de huisarts. En ik hoef dus alleen maar met die brief naar hem toe te gaan? Weet hij dan wat hij moet doen?'

'Ja, oma, dat is alles. Hij weet wat er moet gebeuren. En je hoeft je ook niet te haasten. Zo dringend is het niet.'

'Jawel, ik ga het snel afhandelen. En dan bellen we weer.'

'Oké, dat is dan afgesproken. Dag, oma.'

Als ik heb opgehangen, haal ik eerst eens diep adem. Ze was weer heel kortaf, maar ze wil me wel helpen, hoe moeilijk ze het er ook mee heeft, want dat is duidelijk. Ik ben blij dat dit gesprek achter de rug is. Toch twijfel ik of alles zal lukken. Weet de huisarts echt wat hij moet doen? Want oma zal het hem niet kunnen vertellen. Maar goed, ik kan er nu toch niets meer aan veranderen. Ze laten daar in Keulen vast wel van zich horen als ze geen bloed ontvangen. Toen de informatie over mijn familie ontbrak, hebben ze daar immers ook meteen naar gevraagd.

EEN WONDERBAARLIJKE STAMBOOM

Oktober 2003

Na Frankfurt slingert de snelweg over de heuvels richting Keulen. De nieuwe intercity loopt ernaast, maar neemt de dalen met protserige bruggen en doorkruist de heuvels via talloze tunnels. Af en toe schiet een trein voorbij met meer dan dubbele snelheid en dat geeft ons het gevoel slechts speelgoedautootjes te zijn. Het is eind oktober 2003 en we zijn op weg naar een congres dat door het borstkankercentrum in Keulen wordt georganiseerd. Een paar weken geleden ontvingen we een uitnodiging voor het symposium over erfelijke borstkanker. Evelyn was eerst niet erg enthousiast, maar ik wilde erheen. Het vond plaats aan het begin van de herfstvakantie en ik had toch een week vakantie.

'Als we 's morgens vertrekken, zijn we tegen één uur in Keulen. Precies op tijd voor het congres.' Evelyn liet zich uiteindelijk overtuigen.

In de auto vraag ik hoe Evelyn zich voelt, maar ze zegt niet veel en kijkt zenuwachtig naar buiten. De halve reis is ze bezig geweest met materiaal voor een schoolproject uitknippen en de auto is in een zee van knipsels veranderd. Mijn stemming is ook niet opperbest, ik kan wel leukere weekendjes weg bedenken. Tegelijkertijd vind ik mijn baan bij de bank zo vervelend dat ik blij ben met elke afwisseling. Daarbij komt dat we inmiddels doorhebben dat het niet verkeerd is om zoveel mogelijk informatie in te winnen.

Rond het academisch ziekenhuis zijn de parkeerplaatsen schaars. Na een paar rondjes door een woonwijk vinden we uiteindelijk een plekje. We pakken snel onze spullen bij elkaar, want het symposium begint over een paar minuten. Het is niet zo eenvoudig om de weg te vinden en we belanden in een uithoek van het ziekenhuisterrein. De plaats van het congres, het Dr. Mildred Scheelhuis, ligt ergens in het midden. Uiteindelijk ontdekken we provisorische wegwijzertjes. Als we de zaal binnenkomen, een klassieke collegezaal met steil aflopende rijen met keiharde banken, zijn ze net begonnen aan de inleiding.

'Best wel druk,' fluistert Evelyn.

De zaal is behoorlijk vol, ik ontdek een paar vrije plaatsen bovenin. Braaf pakken we pen en papier om notities te kunnen nemen. Ik krijg een kleine flashback van mijn studie, de colleges sociologie en geschiedenis schieten door mijn hoofd. Dat waren nog eens tijden!

Ik probeer me te ontspannen na de vier uur durende autorit, maar de martelende banken dwingen me rechtop te zitten. Na een algemeen welkomstpraatje houden specialisten om de beurt korte lezingen. Het is meteen boeiend, want het gaat over de genetische achtergronden van erfelijke borstkanker. Dus om dat wat er in Evelyns genen misschien niet goed zit. Ik concentreer me op de docent in de witte doktersjas die ons met cryptische achtergrondinformatie bestookt. Na twee minuten kan ik het al niet meer volgen.

Later zal ik een wetenschappelijk boek kopen over BRCA en erfelijke borst- en eierstokkanker, van Gerhardus, Schleberger, Schlegelberger en Schwartz (2005). Hier een voorproefje: 'BRCA1 is een zeer groot gen met 7365 coderende nucleotiden, die over 81.000 basen van het genoom-DNA zijn verdeeld. Het ligt op de lange arm van chromosoom 17 (17q21) en bestaat uit 24 exonen, waarvan er 22 gecodeerd zijn. Het BRCA1-gen codeert een complex eiwit met 1863 aminozuren, met functies in de tumorsuppressie. Het door BRCA1 gecodeerde eiwit is onderdeel van een complex dat verantwoordelijk is voor de reparatie van dubbelstrengsbreuken in het DNA. In cellen waarin BRCA1 ontbreekt, hopen zich in toenemende mate chromosoomafwijkingen op. Tot op heden zijn al meer dan vijfhonderd verschillende mutaties van het BRCA1-gen ontdekt. Hiervan verandert 80 procent het leesraam of leidt tot verkorting van het eiwit.'

Geen wonder dat ik er geen touw aan vast kan knopen, maar grofweg gezegd, is er eerst iets verkeerd gegaan met het bouwplan van de cellen. Het bouwplan is het DNA, dat zelf weer op meerdere niveaus is onderverdeeld, wat we nu voor het gemak even negeren. In dit bouwplan is het een en ander door de war geraakt. Er staat informatie op verkeerde plaatsen, de informatie is van achteren naar voren geschreven of ontbreekt volledig. Nu zorgt het BRCA1-gen er eigenlijk voor dat er geen tumoren groeien in het menselijk lichaam; dat wil zeggen, het dient om kwaadaardige celwoekeringen te onderdrukken (suppressie). Dat verloopt ongeveer zo: het BRCA1-gen is als het ware een klein reparatieprogramma voor bepaalde schade aan het erfelijk materiaal van de cellen. Het helpt dus om de bouwplannen weer te herstellen als deze in de war zijn geraakt – wat in ons lichaam door allerlei oorzaken voortdurend kan gebeuren. Als het reparatiegen BRCA1 zelf echter niet functioneert, kan het ook geen reparaties uitvoeren aan het erfelijk materiaal van de cellen. Daardoor kunnen cellen met abnormale genen eerder ongehinderd groeien en zich uiteindelijk tot kankertumoren ontwikkelen.

Evelyn is er nog volledig met haar aandacht bij en kijkt geconcentreerd naar de chromosoomstructuren op de wand. Wat een geluk dat zij biologie heeft gestudeerd. Uiteindelijk richt de docent zich op de familiaire stamboom en ben ik weer bij de les. Het lezen van stambomen behoort onderhand bijna tot onze basisvaardigheden.

'Hier ziet u de prachtige stamboom van een patiënt,' zegt de specialist op het podium. Daar komt de wetenschapper in hem naar boven; hij bedoelde natuurlijk 'een heel goed voorbeeld'. Evelyn trekt een gezicht naar me. Ja, zo 'prachtig' is ook haar stamboom. Overal in de stamboom tref je overleden familieleden in de eerste graad aan.

De laserpointer danst over de verschillende zieke en overleden familieleden. Net als bij Evelyn: diverse directe verwanten die op jonge leeftijd borstkanker hebben gekregen en eraan zijn overleden. De volgende sheet gaat over de overlevingskansen van zieke vrouwen na vijf jaar, met een onderscheid tussen de twee bekende mutaties BRCA1 en BRCA2. Kenmerkend voor mutaties in het eerste gen is dat ze snel groeiende tumoren veroorzaken die vaak pas laat worden herkend. Zonder vroegtijdige herkenning blijken de overlevingskansen voor deze groep kleiner dan voor vrouwen uit de rest van de bevolking met borstkanker.

Ook dit weten we al uit Evelyns familie. Evelyn begrijpt op dat moment dat het bij haar familie waarschijnlijk om BRCA1 gaat, vertelt ze me later op de avond. Ik ben vooral onder de indruk van het feit dat de wetenschap en het echte leven zoveel raakvlakken hebben.

Eindelijk wordt de koffiepauze aangekondigd. Ik haal de vreselijke lauwe, bittere koffie die bij dergelijke gelegenheden verplichte kost is en we gaan bij een van de statafels staan die over de foyer zijn verspreid. Een vrouw van middelbare leeftijd komt bij ons staan en we raken in gesprek. Ze is gynaecoloog. Nog een vrouw zet haar koffiekopje bij ons neer en nadat Evelyn ons verhaal heeft gedaan, vertelt de tweede vrouw dat zij patiënt is en net een mastectomie met reconstructie aan één borst heeft ondergaan. Daarbij is een spier uit haar rug naar voren verplaatst om het borstweefsel te vervangen. De operatie is nog niet zo lang geleden, ze heeft nog pijn en staat er voor mijn gevoel ook wat voorovergebogen en verkrampt bij. Ze zegt dat ze inderdaad lichamelijk nog niet volledig is hersteld en ze kan haar arm nog niet helemaal optillen. Niet zo mooi. Ze heeft pas één kant laten opereren, omdat daar een tumor was ontstaan. Nu overweegt ze om uit voorzorg ook de andere borst te laten afzetten.

Evelyn vertelt dat ze een gentest willen laten doen om dan eventueel ook voor de preventieve verwijdering met reconstructie te kiezen. De gynaecoloog vertelt dat ze een heel jonge patiënte had die borstkanker kreeg en pas geleden is komen te overlijden – waarschijnlijk aan de erfelijke variant. Omdat de arts er echter vrij weinig over wist, wil ze van deze kans gebruikmaken om haar kennis bij te spijkeren. Dat vind ik sympathiek, een arts die haar gebrek aan kennis eerlijk toegeeft en dan voor bijscholing zorgt! We zullen later met artsen te maken krijgen die heel wat kunnen leren van deze houding.

Een doordringende bel roept ons terug naar de collegezaal voor het tweede deel van de lezingen. Nu begrijpen we vrijwel alles wat wordt besproken. Er worden enkele zeer interessante feiten verteld. Zo lijkt de BRCA1-tumor in het beginstadium op een goedaardige woekering, zodat artsen bij het mammogram regelmatig verkeerde diagnoses stellen. De artsen adviseren de vrouwen met zo'n gezwel af te wachten, hoewel in feite elke dag met een tumor er één te veel is. Bij goedaardige tumoren kan dat een zinvolle aanpak zijn, maar niet bij BRCA1 of 2.

Een andere lezing geeft een overzicht van de preventieve operaties met reconstructie. Er komen ontzettend veel methoden en namen op ons af. Ik had nooit gedacht dat er zoveel verschillende mogelijkheden zijn om een borst na een mastectomie te herstellen. De foto's van vrouwen die niet voor een reconstructie hebben gekozen zijn behoorlijk schokkend. Het lichaam lijkt noch mannelijk noch vrouwelijk. Eigenlijk niets. In een volgende lezing gaat het over de mammografie, de diagnosemethode die weliswaar nog altijd omstreden is, maar toch door artsen en zorgverzekeringen wordt gestimuleerd. En dan komt het: zo tussen neus en lippen door wordt ons verteld dat deze aanpak voor vrouwen onder de dertig niet zinvol is, omdat het borstweefsel op die leeftijd eenvoudigweg nog te dicht is. Geweldig, Evelyns gynaecoloog in Freiburg onderzoekt haar al jaren op deze manier – blijkbaar is hij helemaal niet op de hoogte van de beperkingen van deze aanpak! Ik gluur naar Evelyn. Verdorie, dit is echt beroerd nieuws.

Na een afsluitend hapje en drankje aan de statafels ben ik helemaal op. We moeten nog van Keulen naar Bonn, waar we bij Evelyns zus zullen logeren. Het is onderhand aardedonker en het stortregent terwijl we ons over onbekende snelwegen naar Bonn begeven. Naast me heeft Evelyn het lichtje aangeklikt en ze speelt gids, met de wegenatlas op haar knieën, terwijl ik me met mijn laatste beetje concentratie op de natte, gladde snelweg richt en vanachter de zwiepende ruitenwissers naar buiten tuur. We komen voorbij een gigantische chemische fabriek waar met een enorme vlam iets wordt afgefakkeld. In het grauwe duister ziet het er nogal afschrikwekkend uit en het doet me denken aan de sfeer in de eerste minuten van *Blade Runner*, die sciencefiction-film met Harrison Ford. Een vijandige wereld daarbuiten.

Onderweg praten we over het symposium.

'Ik voelde me niet echt op mijn plaats,' zegt Evelyn.

'Ik vond het erg boeiend,' zeg ik, 'vooral dat verhaal van dat de tumor op een goedaardig gezwel lijkt en dat met die mammografie.'

'Ik vraag me nu wel af of dokter Schmieder eigenlijk wel weet wat-ie doet. De mammografie heeft bij mij geen zin omdat ik pas achtentwintig ben. En bij een echo kan de BRCA1-tumor gemakkelijk voor een goedaardig gezwel worden aangezien. En dat zijn nu net de controles die hij al jaren bij mij uitvoert.'

Om nog maar te zwijgen over het feit dat de mammografie extra straling veroorzaakt, waarvoor juist jonge vrouwen bijzonder gevoelig zijn. Simpel gezegd is een mammografie bij Evelyn dus niet alleen zinloos, maar ook nog eens gevaarlijk, want juist een verhoogde blootstelling aan straling is een van de oorzaken voor de beschadiging van het DNA van cellen, en dat kan weer leiden tot het ontstaan van tumoren.

Nu we deze informatie hebben heb ik een stuk minder vertrouwen in dokter Schmieder.

'Je hebt hem toch van begin af aan gezegd dat je moeder aan borstkanker is overleden?'

'Ja, natuurlijk. Ik moet binnenkort maar eens naar hem toe,' zegt Evelyn.

Ze staart uit het raam.

'Wat is er?' wil ik uiteindelijk weten.

'Weer een afspraak erbij. De komende maanden worden vermoeiend. Eigenlijk heb ik de komende weken nauwelijks ergens tijd voor. Ik moet proberen nog een afspraak in de vakantie te maken. Nog meer stress.'

BRUTALITEIT

Terug in Freiburg. Vooral Tino is blij weer in ons eigen huis te zijn. De studentenkamer van mijn zusje was niet helemaal naar zijn smaak, hoewel ze in hun minikeuken zelfs een vaatwasmachine hebben. Dat is zelfs voor ons nog luxe, want we wassen met de hand af.

Een van de eerste dingen die ik doe, is de gynaecoloog bellen. Wat we op het symposium hebben gehoord, vind ik behoorlijk dringend. De assistente vindt nog een gaatje.

'Meteen vanmiddag om drie uur?'

Dat komt mooi uit. De praktijk van dokter Schmieder ligt een paar straten verderop en bevindt zich in de oude wijk Wiehre, in een negentiende-eeuws huis met hoge plafonds. Het pand is nooit bedoeld als dokterspraktijk, het is er allemaal erg smal. In de gang bevindt zich meteen de receptie en ook hier hangen veel foto's van pasgeborenen aan de muur. Nog voor ik me heb gemeld, hoor ik al de harttonen van een ongeboren kind. De echo's van zwangere vrouwen worden in een kamer aan het einde van de gang gemaakt en door de oude deuren bereiken de geluiden gemakkelijk de gang. De assistente zit achter de balie en sorteert systeemkaarten. Op de plank achter haar ligt een reep, Milka Alpenmelk. Ik heb al vaker gezien hoe de dokter daarvan snoept tussen twee patiënten door. Noodrantsoen kennelijk. Ze verzoekt me in de wachtkamer plaats te nemen, waar ik zoals altijd alleen zit. Mooi, denk ik, dit zal lekker vlot gaan. En zo is het ook. Na een tijdje ben ik aan de beurt.

Dokter Schmieder is een man van rond de zestig, slank en relatief klein; hij ziet er goed uit voor zijn leeftijd. Hij geeft me een hand en biedt me een stoel aan. Hij werpt een blik op de systeemkaart en kijkt ten slotte weer op.

'Wat brengt u vandaag hier?' vraagt hij vriendelijk glimlachend.

'Ik heb u al eens verteld dat ik me heb aangesloten bij het programma van het Duitse kankerfonds voor familiaire borstkanker. Afgelopen week was er een symposium in Keulen.'

Ik ben wat zenuwachtig en pauzeer even, maar dokter Schmieder knikt me bemoedigend toe. 'Daar heb ik in een lezing gehoord dat tumoren van de familiaire variant vaak erg lijken op goedaardige gezwellen bij jonge vrouwen. Omdat ik een keer per jaar bij u kom voor een echo wilde ik vragen of u daarvan op de hoogte bent.' De gelaatsuitdrukking van mijn gynaecoloog verandert acuut. Hij loopt rood aan en fronst zijn wenkbrauwen.

'Wat is dat nu voor een vraag?' barst hij plotseling los. 'Weet u wel wat u zegt? Wat een brutaliteit.'

Ik ben volledig uit het lood geslagen. Dat was toch heel fatsoenlijk wat ik net zei? Waarom valt hij zo fel tegen me uit? En ik heb nog niet eens gezegd dat een mammogram niet alleen volledig overbodig, maar zelfs schadelijk voor me is.

'Ik bedoelde niet dat ik u niet deskundig vind op uw vakgebied,' probeer ik hem te kalmeren. 'Voor mij is het alleen belangrijk om te weten of u bekend bent met familiaire borstkanker, aangezien ik bij u op controle kom. Het gaat maar om 10 procent van alle borstkankergevallen, dus ik kan niet verwachten dat u daar volledig van op de hoogte bent.'

Dokter Schmieder is nog steeds flink rood. Plotseling staat hij op en zegt: 'Een moment, ik ben zo terug.'

Hij raast de kamer uit.

Ik zit nogal bedremmeld op mijn stoel. Was het nu echt zo stom om hem zo direct daarop aan te spreken? Maar misschien was het een schot in de roos. Hij is niet meer een van de jongsten; heeft hij eigenlijk wel eens van de familiaire variant gehoord? Wanneer zou hij zijn laatste bijscholingscursus hebben gehad? Maar blijkbaar was mijn aanpak te simpel: bij hem binnenstormen en hem daarmee te confronteren. Hij is waarschijnlijk maar een paar minuten weg, maar ik heb het gevoel dat ik hier een eeuwigheid in mijn eentje zit.

Uiteindelijk gaat de deur open en dokter Schmieder neemt weer achter zijn bureau plaats. Hij lijkt wat rustiger, maar is nog steeds geschokt.

'Weet u, mevrouw Heeg, dat was bijzonder ontactisch van u. Gaat u in het vervolg voor uw echo maar naar een specialist,' zegt hij met verstikte stem.

'Kunt u me er dan een aanbevelen in Freiburg?' wil ik weten. 'Een keer per jaar moet ik toch al naar Keulen voor onderzoek. Voor het tweede jaarlijkse onderzoek zou ik graag iemand in de omgeving hebben.'

'Gaat u naar dokter König. Al heeft hij een zeer drukke praktijk.'

Ik weet dat ik sneller een afspraak krijg als hij voor mij zijn collega belt. Omdat ik toch niets meer te verliezen heb, vraag ik hem: 'Zou u me kunnen helpen om een afspraak te maken?'

'Zegt u maar gewoon dat u van mij komt.'

Oké, hij wil kennelijk niets meer met me te maken hebben.

Dokter Schmieder neemt haastig afscheid en verlaat de spreekkamer nog voor mij. In de gang snauwt hij de assistente toe me een kaartje van dokter König mee te geven. Het is belachelijk, maar hij is erin geslaagd me een schuldgevoel te bezorgen. Ik sluip bijna de wachtkamer binnen om mijn jas te halen. De assistente drukt het visitekaartje van de collega in mijn hand. Wat moet ze wel van me denken? schiet het door mijn hoofd. Ach wat, dat doet er helemaal niet toe, ik wil nu alleen maar weg van hier. Ik heb wat ik wilde hebben. De babyfoto's begeleiden me tot aan de deur. Dat ligt hem blijkbaar meer: kinderen op de wereld brengen. Dat is natuurlijk ook vele malen leuker dan een vrouw die misschien al op haar veertigste aan borstkanker sterft waar de dokter bij staat. Buiten komt het lawaai van het verkeer me tegemoet. Snel weg hier. Pas nu merk ik dat er tranen over mijn gezicht stromen. De volgende zijstraat is onze straat al, een paar honderd meter verder is nummer 94, hier wonen we.

Ik doe de voordeur dicht en ga meteen naar de wc – om maar iets te doen. Tino heeft nog vakantie, hij zit in de werkkamer en is op mijn computer aan het knungelen. Ik wil hem eigenlijk helemaal niet vertellen hoe afschuwelijk het was.

'Hoe was het?' roept hij vanuit de werkkamer.

Ik probeer de uitbarsting van dokter Schmieder wat te bagatelliseren, maar Tino merkt dat ik erg van streek ben. Uiteindelijk vertel ik hem wat hij heeft gezegd en moet ik weer huilen.

'Wat een klootzak!' Tino maakt zich enorm kwaad over dokter Schmieder.

'Ik ga er nú naartoe en dan zal ik hem wel eens de waarheid vertellen!'

Ik vind dat helemaal geen goed idee en ik kan hem uiteindelijk van zijn plan afbrengen. Ik weet toch al dat ik daar nooit meer heen ga. Alleen al vanwege het feit dat hij kennelijk geen idee heeft van familiaire borstkanker. Dat vermoeden hadden we al toen we hoorden dat een mammogram op mijn leeftijd overbodig is en zelfs schadelijk kan zijn. Waarom zouden we het dan nog erger maken? Het is veel belangrijker voor mij om te weten waar ik voortaan naartoe moet.

Nu wil ik eerst naar buiten met dit mooie herfstweer. Het liefst op de racefiets; dan kunnen mijn gedachten tot rust komen. Ik bedenk wat ik moet aantrekken om niet op de fiets te bevriezen nu het al wat kouder wordt. Dat is een goede afleiding. Ik trek keurig meerdere laagjes aan en ondertussen vloek ik, omdat de fietskleren in vier verschillende kisten worden bewaard. De enige regel is dat ieder van ons twee eigen kisten heeft, maar af en toe komt er toch een kledingstuk in de verkeerde kist terecht, waardoor het allemaal niet simpeler wordt. Tino gaat ook mee en we zijn een kwartier bezig met alle voorbereidingen. Als we al onze spullen hebben gevonden, kunnen we de fietsen uit de kleine kelder bevrijden. Vervolgens moeten we nog een paar kilometer door onze wijk naar het oosten fietsen voordat we het idyllische Dreisamdal bereiken met paarden, koeienweiden en de typerende schilderachtige boerderijen uit het Zwarte Woud.

Terwijl onze benen automatisch bewegen en we over de bekende wegen rijden, denk ik voortdurend aan het gesprek. Het wordt me steeds duidelijker dat dokter Schmieder waarschijnlijk als in een reflex heeft geprobeerd om de aandacht van zijn eigen fouten af te leiden. Al met al is het merkwaardig: ik heb hem jaren als een vaderlijke, vriendelijke arts gekend, die altijd heel deskundig overkwam, maar vandaag heeft hij zich even van een heel andere kant laten zien. Is die vriendelijkheid van de afgelopen jaren eigenlijk wel echt geweest? Dat is natuurlijk een nutteloze vraag. Bovendien wilde ik hem helemaal niet voor schut zetten; ik wilde alleen maar weten of ik in goede handen ben. In elk geval ebben mijn schuldgevoelens langzaam weg.

Donderdagochtend hebben we weer een vakantieontbijt. Dat is heerlijk, want ik vind het vreselijk dat ik tijdens de schoolperiode zo weinig tijd heb voor mijn lievelingsmaaltijd. Door de lange reistijd naar mijn school in Oberkirch moeten we erg vroeg opstaan, vaak al om halfzes. Tino moet om zeven uur de trein naar Basel pakken. In de vakantie staan we nog steeds vrij vroeg op, maar het ontbijt duurt zeker drie keer zolang. Niet dat we ook drie keer zoveel eten, maar ik heb lekker veel tijd om thee te drinken, zonder er rekening mee te hoeven houden dat ik tijdens de vijftig minuten durende autorit niet naar de wc kan. Het geeft me een gevoel van vrijheid.

Voor vandaag staat er nog een telefoontje naar dokter König op het programma. Niet dat ik meteen een afspraak nodig heb, maar voor je het weet is het januari. Bovendien is het nuttig om voor mezelf een deadline te stellen. Na het ontbijt onderneem ik mijn eerste pogingen: steeds in gesprek. Dokter Schmieder had wel gezegd dat dit een drukke praktijk was. Na een tijdje word ik in elk geval in de wacht gezet. Dat beschouw ik maar als een succesje.

Uiteindelijk hoor ik krakend aan de lijn: 'Artsenpraktijk dokter König, goedemorgen.'

Ik dreun mijn verhaal op: dat ik tot een hoogrisicogroep voor familiaire borstkanker behoor en dokter Schmieder me heeft doorverwezen voor echocontroles.

'Het spijt me, we kunnen geen nieuwe patiënten meer aannemen.'

Fantastisch: noch het woord 'hoogrisicogroep' noch de verwijzing van dokter Schmieder levert iets op.

'Maar mij is verteld dat dokter König de enige is die goed bekend is met het maken van echografieën van hoogrisicopatiënten.'

Ook dat heeft geen effect: de doktersassistente wimpelt me af en wil het gesprek beëindigen. Ik heb echter nog één troef. 'Het is voor mij als *particuliere patiënt* echt heel belangrijk om een afspraak te maken met dokter König.'

'O, u bent *particulier* verzekerd. Wanneer wilt u een afspraak?'

Dit is toch walgelijk? Maar goed, aan het Duitse systeem kan ik niets veranderen.

'Januari graag, in de middag.'

Ik krijg een afspraak op 19 januari om drie uur. Gelukt. Ik heb mijn doel bereikt, ik kom nu in vakkundige handen. En eigenlijk vind ik het op dit moment nog veel belangrijker dat ik nu bijna drie maanden niet aan deze kwestie hoef te denken.

De rest van de vakantie ben ik weer bezig met school en vrienden. Het zijn de gebruikelijke vakantietaken, die ik zonder de minste tijdsdruk kan afronden. Eerst ruim ik alle papieren en schoolbenodigdheden zorgvuldig op die ik tijdens de drukke schoolperiode tijdelijk in de werkkamer had neergelegd. Dat opruimen geeft me een goed gevoel en ook het idee weer bezig te zijn doet me goed. Als het een beetje meezit kan ik straks al een paar lessen voor de komende weken voorbereiden, zodat ik zelfs voorloop en doordeweeks een tijdje het sorteren, corrigeren en controleren kan bijhouden. Verder overleggen Tino en ik of Tino niet moet stoppen met zijn baan bij de bank, omdat hij zich er niet op zijn plek voelt. Maar wat moet hij dan gaan doen?

ERGENS IS HET VERNEDEREND

Januari 2004

We hadden al in november een vakantiehuisje in de Zwitserse bergen besproken, waar we met een paar vrienden de twee weken van Kerstmis en Nieuwjaar heen zouden gaan om te langlaufen. Ik ben erg blij dat het grote feest van de liefde en familie grotendeels zonder familie gevierd kan worden. Thuis is het al lang niet meer zoals vroeger. Met mijn broer en zus heb ik wel een goede relatie, maar met mijn vader heb ik niet veel meer. Hij is hertrouwd en zijn nieuwe vrouw heeft me gek genoeg vanaf dag één als een rivaal gezien en ook zo behandeld. Oma Winzker, de moeder van mijn vader, is al jaren dood, net als mijn eigen moeder. Het is allemaal niet meer wat het geweest is. De enige plek die zich tot dusverre aan deze veranderingen heeft onttrokken is het huis van oma Geiger. Haar huis vormt nog altijd een vertrouwde omgeving. Helaas kon ons traditionele bezoek op tweede kerstdag niet doorgaan, omdat we nog op vakantie waren, maar nu zijn we terug. Het is 3 januari en we halen het in. De kerstboom staat nog in oma's woonkamer en het hele huis is mooi versierd als we op de Sonnenberg in Stuttgart aankomen. Oma heeft ook de houten kerstpiramide uit het Ertsgebergte opgezet, die ik erg leuk vind omdat ze me aan de tijden doet denken dat mijn moeder er nog was. De schaduw die hij op het plafond werpt als de kaarsen branden en de opstijgende warme lucht die de wieken aandrijft – ik kan er eindeloos naar blijven kijken.

Zoals elk bezoek aan oma begint ook dit verlate kerstbezoek met buitensporig veel koffie, plus een zelfgebakken kerststol en Schwabische kerstkoekjes. Al in de adventsperiode ontvangen we altijd het eerste pakket uit Stuttgart: een grote doos vol koekjes. Maar bij oma thuis smaken ze nog beter. De keuze aan soorten en de hoeveelheden die ze elk jaar met mijn oom produceert, zijn altijd weer indrukwekkend. En ondanks haar hoge leeftijd blijft ze dol op experimenteren en probeert ze graag nieuwe recepten uit. De sinaasappelcake is erg geslaagd. Jammer dat ik op een gegeven moment toch echt vol zit, propvol. Na de koffie gaan we in de woonkamer bij de kerstboom zitten en wisselen we nieuwtjes uit. Oma wil alles weten en we vertellen uitvoerig over onze vakantiebelevenissen. Als alles tot in de details is besproken, ga ik met haar naar de kamer met de vele romannetjes. Daar staat namelijk de kerststal. Hij is al heel oud en neemt de halve kamer in. Alles is met de hand gemaakt. Het lijkt wel een grote modelspoorbaan. De kerststal is verlicht en in de late namiddag, als het buiten al donker wordt, zet mijn oom hem aan en baadt alles in een warm licht. De achtergrond van het tafereel is door een kleurenblinde kunstenaar beschilderd – dat fascineert me al jaren.

We staan een paar minuten stil te kijken. Ieder laat zijn gedachten de vrije loop, voor een deel zijn het waarschijnlijk dezelfde gedachten. De kerststal herinnert me altijd aan de bezoeken die we als kind met mijn moeder aan oma brachten. Ik kan er ook nu nog nauwelijks genoeg van krijgen: de olifant met zijn draagstel, de glinsterende stenen, de schapen, de drie heiligen, de stal, alles is er, elk jaar weer. Het heeft iets ongelooflijk geruststellends. Maar dan is oma weer bij de les: 'Hoe lang blijven jullie nog? Jullie blijven toch zeker wel voor het avondeten?'

Ik knik.

'Het is altijd veel te kort.' Oma neemt me bij de elleboog en stuurt me in de richting van de trap. 'Maar jullie blijven tenminste eten. Ik heb namelijk een preitaart gemaakt. Je weet wel,' ze werpt me een samenzweerderige blik toe, 'zoals je moeder die ook altijd maakte.'

Dat vertelt ze me steeds weer, en ze heeft me de taart ook al vrij vaak voorgeschoteld. Ik maak hem onderhand ook zelf, maar dan wel volgens het originele recept van mama, namelijk de vegetarische variant. In oma's versie zit er ham in, maar ik zeg er niks van; de preitaart is hoe dan ook lekker. Tino blijft de krant lezen in de woonkamer en wij gaan voorzichtig de steile trap af naar de keuken. Oma is de afgelopen jaren een paar keer gevallen, maar tot nog toe liep alles goed af. Gelukkig is ze nog nooit van deze trap gevallen, maar zelfs ik heb moeite met de ietwat scheve en ongelijkmatige treden. In de keuken word ik weer op de kruk gezet en mag ik niets doen; en begint oma re redderen. Af en toe zie ik iets vallen, maar er gebeurt nooit iets ergs. In een recordtijd heeft ze de voorbereide ingrediënten bij elkaar gedaan en gaat de vorm de oven in. 'Over een halfuur is het eten klaar,' verkondigt ze. 'En nu gaan we de tafel dekken!'

We brengen de borden naar boven, beslissen wat we gaan drinken en wachten dan in de woonkamer op de kookwekker. Tijdens het eten komt mijn oom er weer bij zitten, die al die tijd in de tuin bezig was. Er moet minstens een behoorlijke sneeuwstorm zijn voor hij buiten niets meer doet.

Na het eten volgt het afscheidsritueel in de voorraadkelder. Ik heb onderhand ijskoude voeten; op de een of andere manier lukt het me niet ze in het oude huis warm te houden. Ik heb blijkbaar te lang in huizen gewoond die niet zo koud voor mijn voeten zijn. Maar ik ben gewapend: de nieuwe gebreide sokken liggen in de auto klaar. Mijn oom en oma zeggen ons in de kleine gang bij de voordeur gedag. Omdat het op de treden naar de tuindeur glad kan zijn, blijft oma vandaag liever boven terwijl wij naar de auto lopen. Ik zwaai nog eens voordat ik instap. Het is weer mooi geweest!

Een week later, op een maandag in januari, heb ik de afspraak bij dokter König in Freiburg. Controle en echografie. Uit voorzorg heb ik in het weekend alvast de les van dinsdag vrijwel volledig voorbereid. Onderhand weet ik dat zulke doktersbezoeken fataal voor mijn planning kunnen zijn. En wie weet hoe ontredderd ik ervandaan kom!

De praktijk is gemakkelijk te vinden, een deftig gebouw in de binnenstad van Freiburg, dicht bij het station. Deze praktijk noemt zichzelf 'borstcentrum' en ziet er verdraaid particulier uit. In het trappenhuis blijf ik voor een informatiebord staan. Daar staat zo ongeveer alles tot in het kleinste detail op, van plastische chirurgie tot borstkanker. Alleen de familiaire borstkanker ontbreekt. Aan de balie van de praktijk heerst een grote drukte. De telefoon gaat voortdurend, meerdere assistentes zijn aan het werk en overal staan patiënten. Ik word naar een wachtkamer gestuurd met een karige verzameling tijdschriften. Ik zou nog het meest te lezen hebben als ik net zwanger was. Bedankt, niet nodig, ik heb andere zorgen. Onderhand ben ik zeer ervaren in het wachten-bij-artsen en ik haal mijn boek tevoorschijn. Na een paar seconden merk ik echter dat er van lezen niets komt, want ik ben te gespannen. Na een tijdje word ik door een doktersassistente boven geroepen, wat dat ook mag betekenen. Ik neem dus de trap die zich meteen naast de ingang bevindt en stel vast dat boven wachtruimte nummer twee is. Iets kleiner, nog minder tijdschriften, maar wel veel spreekkamers die uitkomen op de wachtruimte. Eén keer verschijnt het hoofd van een vrouwelijke arts die de volgende patiënt binnenroept. Rechts van mij kijkt een man de ruimte in. Zou dat hem zijn? Geen idee, ik ben nog niet aan de beurt.

Na een tijdje hoor ik mijn naam. Dokter König blijkt een goed uitziende man van middelbare leeftijd, die zelf ook heel goed weet dat hij er goed uitziet. Hij leidt me zijn spreekkamer binnen. Ik begin mijn gebruikelijke verhaal: 'Ik behoor tot een hoogrisicogroep...', enzovoort. Deze keer heb ik echter met Tino het hele gesprek goed voorbereid. Ik ben gewapend tegen onvoorziene beledigingen en verwijten. Maar dokter König luistert gewoon en knikt begrijpend. Als ik over het centrum voor familiaire borstkanker in Keulen begin, onderbreekt hij me.

'Dokter Schmutzler ken ik natuurlijk', zeg hij, 'we zien elkaar regelmatig.'

Ik leg verder uit dat ik hier ben voor de echografie en controle. Hij staat op en gaat aan het werk. Hij doet zeer lang over de echografie, blijkbaar gaat hij grondig te werk. Na afloop verzekert hij me dat alles in orde is. 'U mag u weer aankleden.'

Ik ben opgelucht, maar de normale controles zijn nog niet uitgevoerd. 'En het uitstrijkje en inwendig onderzoek?'

De dokter zit alweer achter zijn bureau en noteert iets.

'Voor de normale controle kunt u een afspraak maken bij mijn collega.'

Dit kan toch niet waar zijn? Het is echt geen grote ingreep. Moet ik daarvoor nu nog een middag opofferen? 'Is het niet mogelijk dat u dat nog even afhandelt?' vraag ik hem.

'Nee,' zegt dokter König, zonder op te kijken.

Gefrustreerd kleed ik me weer aan en sluit me aan bij de rij voor de balie.

Over drie maanden! Als het zover is, moet ik alweer een afspraak maken in Keulen voor de onderzoeken van augustus. Wat een ellende: ik ren alleen nog maar van arts naar arts!

Ik loop door de winterse stad. De beroemde Bächle, de open gootjes, zijn stilgelegd. Verder heerst hier de gebruikelijke bedrijvigheid. Tino wilde dat ik hem meteen iets liet horen, maar dat gaat nu even niet. Het komt niet op een kwartier aan. Trouwens, wat moet ik hem vertellen? Dat de arts een bekwame klootzak is? En dat ik in april weer terug kan komen? Nee, misschien liever iets als: het ging goed, hij lijkt verstand van zaken te hebben, alleen moet ik jammer genoeg op 14 april terugkomen bij zijn collega voor de normale controle. Ach, het liefst zou ik huilend in een hoekje kruipen. Ergens is het vernederend. Ik heb er toch ook niet voor gekozen om voortdurend naar allerlei artsen te moeten hollen. Toch geven mensen als dokter König me het gevoel dat het eigenlijk mijn eigen schuld is. Volstrekt absurd, maar dat gevoel heb ik nu eenmaal.

BIJNA ALS EEN MELAATSE

Maart 2004

Het is vroeg, kwart voor zeven om precies te zijn. Ik sta op de carpoolplaats in Umkirch, een paar kilometer ten westen van Freiburg. Voordat ik op deze school werkte, vroeg ik me altijd af wat dat eigenlijk voor parkeerplaatsen zijn: ze liggen midden in het niets, en toch staan ze altijd bomvol met auto's. Nu weet ik dat hier mensen komen om te carpoolen. De vmbo-school waar ik werk, bevindt zich in Oberkirch, een schilderachtig stadje in de buurt van Offenburg. Oberkirch ligt ruim 80 kilometer van Freiburg. We hebben dus een lange weg voor de boeg en daarom zijn we 's ochtends eigenlijk altijd de eersten. Dat heeft ook zo zijn voordelen: later wordt het namelijk echt druk, dan zijn de vrije plekken schaars. Ik spreek hier af met mijn collega Klaus, die in de buurt van Freiburg woont. We hebben een perfecte timing. Of hij staat er al, of we komen vrijwel gelijktijdig aan.

Vandaag is het mijn beurt om te rijden. Klaus rijdt net enkele seconden na mij de parkeerplaats op. Ik zie de slungelachtige gestalte uitstappen en door de koude maartse ochtend naar mijn auto komen. Dan loopt hij naar achteren, de kofferbak gaat open en weer dicht, en uiteindelijk laat hij zich op de passagiersstoel vallen.

'Morgen, Evelyn,' hijgt hij. Hij is een goed uitziende man van begin veertig, met veel humor en een flinke dosis levenservaring. We konden het vanaf het begin goed met elkaar vinden. We zijn niet alleen even stipt, de ritten met hem zijn ook verrassend gezellig. Er is altijd wat om over te kletsen. Ik geniet enorm van onze gesprekken. Ik ben een beginner en hij is voor mij net een soort mentor. Ik kan bij hem met al mijn kleine en grote problemen over school terecht. Meestal heeft Klaus een verstandige oplossing, die ik zelf nog niet had bedacht. En af en toe maak ik hem aan het lachen met mijn opvattingen als jonge lerares. Over het algemeen is hij positief ingesteld en we lachen dan ook veel. Van de situaties waarover Klaus vertelt, kan ik veel leren. Hij heeft namelijk vaak een onorthodoxe manier om met de eisen in ons beroep om te gaan, waar ik veel inspiratie uit put. Bovendien ben ik ervan overtuigd dat hij echt een goede leraar is.

Vooral 's morgens voeren we lange gesprekken. Klaus zei zelfs een keer tegen me: 'Weet je eigenlijk dat ik met niemand zoveel praat als met jou, zelfs niet met mijn vrouw en kinderen?' Dat klopt wel, we zitten twee uur per dag in de auto, dat is nogal wat. Alleen 's middags wordt het soms rustig, als de meerijder af en toe indommelt.

We bespreken niet alleen schoolzaken. Klaus was van het begin af aan op de hoogte van het hele gentestverhaal. Hoewel ik eigenlijk bijna alleen in de vakanties naar Keulen ben geweest, kwam het toch steeds weer ter sprake. Ik had vanaf het begin het gevoel dat hij begrijpt wat ik doe. Dat waardeer ik ontzettend en het is helaas een uitzondering in mijn vrienden- en kennissenkring. Dankzij zijn voorsprong in jaren heeft hij heel wat levenservaring. Ik heb de indruk dat zulke mensen mij en mijn aanpak beter begrijpen. Voormalige studenten van begin dertig beginnen een gezin en laten een huis bouwen. Daar voel ik me minder bij thuis. Rationeel gezien zijn mijn acties volstrekt logisch: aan de ene kant is er de kans om ziek te worden en aan de andere kant de maatregel om dat risico bijna tot nul te beperken. Punt. Klaus kan dat met de nodige afstand bekijken. Tino steunt me natuurlijk ook waar hij kan; hij verdedigt mijn manier van handelen bijna nog feller dan ik. Maar het is anders als iemand van buitenaf duidelijk te verstaan geeft dat hij onze aanpak begrijpt.

Bij onze gesprekken over de gentest heb ik gemerkt dat ik niet weet hoe het met mijn kinderwens zit. Zal ik ondanks het feit dat de kans bestaat dat ik het defect doorgeef kinderen krijgen? Ik weet dat Klaus zelf kinderen heeft en zielsveel van ze houdt. Op mijn vraag merkt Klaus droogjes op: 'Waarom hebben jullie eigenlijk kinderen nodig? Jullie hebben toch zoveel hobby's samen?' Dat klopt, alle sportactiviteiten – fietsen, hardlopen, 's winters langlaufen – doe ik samen met Tino. Bovendien vinden we werken allebei leuk en we zien onze baan ook enigszins als roeping. Ontbreekt het ons dan aan iets?

Dat is een verfrissend pragmatische kijk op de zaak. Op het onderwerp kinderen heb ik al de meest uiteenlopende reacties gehad. Een vriendin zei me onlangs nog: 'Het maakt toch niet uit of je het genetisch defect doorgeeft? Het kind kan er net zo goed mee leven als jij nu.' Maar mij maakt het wél uit dat ik een dochter met een kans van nog altijd 50 procent op het borstkankergen opzadel. Natuurlijk mag iedereen denken wat hij wil, maar ik vermoed dat veel vrienden en kennissen simpelweg niet goed begrijpen wat deze genetische aanleg concreet inhoudt. Dat zie ik al aan de reacties van mensen als we het over dit onderwerp hebben. Bijna niemand vraagt verder, meestal horen mijn gesprekspartners het zwijgend aan en veranderen dan van onderwerp. Ik kan die impuls zeker begrijpen. Waarschijnlijk denken ze dat het me pijn doet om erover te praten. Misschien willen ze me ontzien en het niet erger maken dan het al is. Helaas richt deze reactie eigenlijk alleen maar schade aan. Door het stilzwijgen voel ik me rot, ja – en Tino zegt dat hij het op dezelfde manier ervaart – bijna als een melaatse, die haar gesprekspartners met akelige details van een afstotende ziekte belast. Feit is dat ook mijn gesprekspartners zo nooit goed zullen begrijpen onder welke druk ik sta en met welke problemen ik te kampen heb.

Als de mastectomie ter sprake komt, is de spontane reactie meestal: 'Jezus, dat kan je toch niet doen?' Helaas volgt er dan geen gesprek over wat de alternatieven zijn, hoe de kans op borstkanker er precies uitziet en welke vorm van kanker ik krijg als ik ziek word (een zeer agressieve vorm!). De meeste mensen vinden dat allemaal te pijnlijk en daarom zwijgen ze na deze spontane uitroep liever en veranderen ze zo snel mogelijk van onderwerp. Bovendien heeft bijna iedereen wel een borstkankergeval ergens in de familie. Dat zijn echter de 'normale' gevallen met een kans van 10 procent op de ziekte. En het grote verschil is dat deze vorm van borstkanker, vooropgesteld dat die op tijd wordt ontdekt, tegenwoordig vaak te genezen is. Dus wat is mijn probleem nu eigenlijk? Echt, ik kan deze reactie heel goed begrijpen, maar helaas, helaas, helaas hebben we er niets aan. Wat echt helpt, is interesse tonen, informeren, open en zonder valse schaamte, zodat de getroffenen er eindelijk over kunnen praten en zich niet zo verdomd alleen voelen met dit zwaard van Damocles boven hun hoofd.

Klaus vormt hierop een zeer aangename uitzondering. Vorig jaar in de zomervakantie stuurde hij me bijvoorbeeld per e-mail een link naar de website van de *Spiegel*, waarop een reportage stond over de mastectomie van een jonge vrouw. Ik heb dat artikel gelezen. Van de reconstructiemethode die erin werd genoemd, een zogenoemde 'DIEP flap' vanuit de buik, had ik nog niet eerder gehoord. Daarbij wordt eigen vetweefsel van de patiënt uit de buik verwijderd en in de uitgeholde borst getransplanteerd, waar het direct op de bloedvaten wordt aangesloten. Zo worden er geen lichaamsvreemde elementen in de borst aangebracht, zoals siliconen, die aanvoelen 'alsof je op een kruik ligt,' zoals iemand het ooit eens beschreef. De prognoses op de lange termijn zijn zeer goed, het weefsel leeft gewoon met je mee, zonder dat je later nadelige gevolgen hebt, zoals bij siliconen. En de resultaten zijn ook esthetisch erg indrukwekkend. De vrouw op de foto had inderdaad een mooie boezem – en dat na de operatie.

Het klinkt allemaal erg goed, ook al zou ik nu beslist te sportief en mager zijn voor zo'n ingreep. Hier lees ik voor het eerst over een specialist in München, professor Axel-Mario Feller, die deze operaties al jaren uitvoert. Dokter Feller uit in de *Spiegel* kritiek op het feit dat zoveel behandelende artsen nog nooit van deze methode hebben gehoord. Nou, ik weet er nog helemaal niets over. Het artikel stop ik meteen bij mijn andere documenten. Wie weet of ik die informatie ooit nodig heb. Maar zo is Klaus: gewoonweg fantastisch!

Ondertussen zijn we op de snelweg afgeslagen richting het noorden. Het is nog relatief stil op de weg, de meeste andere auto's zijn net als wij pendelaars.

'En? Lever je het formulier in?' vraagt Klaus.

Hij doelt op de aanvraag om overplaatsing, die voor het eind van de maand bij onze rector moet zijn ingeleverd.

'Ik denk het wel. Waarschijnlijk wordt mijn aanvraag toch niet gehonoreerd. Maar als ik al een kans wil maken, moet ik het elk jaar opnieuw proberen.'

Zo gaat dat bij ons leraren. Er wordt gezegd dat je doorgaans ongeveer vijf jaar moet wachten voor je wordt overgeplaatst. Bovendien zou heel Zuid-Baden graag naar Freiburg willen.

'Wil je echt weg uit Oberkirch?'

Goede vraag! Ik wil eigenlijk niet echt weg. Maar het pendelen is vermoeiend en tijdrovend. De laatste tijd gaat het me bepaald niet in de koude kleren zitten. Ik weet niet of ik het eeuwig volhoud.

'En jij?' vraag ik hem.

'Ik niet.'

Klaus heeft gelijk. Overgeplaatst worden naar een andere school houdt ook een paar echte risico's in, zoals een nieuwe directie. Beter dan nu kunnen we het echt niet treffen, daar zijn we het over eens. Maar toch, dagelijks 180 kilometer en bijna twee uur reistijd zijn te gek voor woorden. Het is dus niet zo gek dat ik vaak kapot ben. Ook al geniet ik van de ritten met Klaus, onze lesroosters sluiten niet altijd perfect op elkaar aan. En als er een ouderavond is of een andere extra activiteit ben ik ofwel immens lange dagen op school, of ik rijd 's avonds nog eens terug – dat is dan vier uur reistijd op één dag! Op school werken kun je niet vergelijken met thuis werken. Ik mis het materiaal uit mijn werkkamer. Als ik echt aan alles denk en alles meesleep om op school te kunnen werken, vereist dat een perfecte organisatie. Bovendien is zo'n lerarenkamer ook geen afgesloten privékantoor. De deur gaat voortdurend open, er komen collega's samen die problemen bespreken, iets aan me vragen, enzovoort.

Hoe ik het ook wend of keer, het is niet ideaal en ik heb er echt moeite mee. Daarom moet ik mijn aanvraag gewoon indienen.

We rijden de parkeerplaats van de school op, vanochtend is alles goed gegaan, we zijn er vroeg. Dat is fantastisch, want dat betekent dat de kopieermachine niet bezet is en dat ik tijd heb om nog wat zaken te regelen. Voor mij betekent het vandaag concreet dat ik tijd heb om mijn overplaatsingsaanvraag in te leveren. De rector zit ook al in zijn kantoor. Ik geef hem de formulieren en hij knikt me kort toe. Natuurlijk weet hij in welke uitzichtloze situatie ik me bevind. We hebben er al over gesproken. Toch ben ik heel blij dat ik de papieren zonder slecht gevoel aan hem kan geven. Vorig jaar, toen ik mijn aanvraag voor het eerst indiende, heb ik er helemaal geen nare gevolgen van ondervonden. Dat dit niet vanzelfsprekend is, mag duidelijk zijn. Maar de rector laat me nog steeds op bijscholingscursus gaan, betrekt me bij het beleid, ook al vallen daardoor lessen uit en bestaat er steeds het gevaar dat het zijn school uiteindelijk niet veel oplevert, omdat ik volgend schooljaar misschien voorgoed verdwijn. Tja, het is zo'n fijne directeur dat je eigenlijk niet weg wilt.

Als ik zijn kamer heb verlaten, schieten me weer duizend dingen te binnen die ik nog voor het begin van de les moet regelen. Ik haast me verder en vergeet ogenblikkelijk de aanvraag. Er zal toch wel niets van terechtkomen.

DE DRUK NEEMT TOE

Augustus 2004

Ik moet weer op controle. Mijn vriendin Meike wil per se met me mee. We hebben zomervakantie, zij staat ook voor de klas en we kennen elkaar nog uit onze studietijd. Ik vind het meteen al geen goed idee, maar Meike laat zich niet afschrikken. Ik ben ook niet stellig genoeg, ik sla haar aanbod niet duidelijk genoeg af. Aan de andere kant bedenk ik ook dat het eigenlijk heel fijn is dat ik zulke goede vriendinnen heb. Die kan ik nu toch niet afwijzen? We hebben tijdens onze studie samen heel wat problemen in het chemielab opgelost, we hebben samen veel gelachen, veel ondernomen. Ze is al jaren een heel goede vriendin. Waarom zou ze me dus ook niet tijdens de controle begeleiden? Toch blijf ik een onbehaaglijk gevoel houden. Het is inderdaad een teleurstelling. In Keulen gedraagt ze zich als een bezorgde moeder, wat ik bijzonder onprettig vind. Tijdens de onderzoeken is ze nerveus en gespannen. Dat vind ik vervelend, omdat ik het ook erg overdreven vind. Ikzelf leef met de zekerheid dat er op dit moment nog niets aan de hand is en ik onderga de onderzoeken dan ook vrij onaangedaan.

Tijdens het wachten tussen de onderzoeken door vind ik het enorm moeilijk om met Meike te praten. De gesprekken blijven oppervlakkig engeforceerd. Ik zou liever zwijgen, maar kan dat nu niet tegen haar zeggen. Zo komen we de tijd moeizaam door.

Als alle onderzoeken voorbij zijn, rijden we terug naar de stad. Ik zou liever te voet gaan, maar dat zit er met Meike niet in, daarvoor is ze te slecht ter been. In plaats daarvan begint ze met de gebruikelijke sightseeing. Voor Meike is alles nu achter de rug. Op de echo was niets opvallends te zien en de eerste blik van de arts op de MRI-scan beloofde ook alleen maar goeds. Ik ben echter niet opgelucht. Het nadeel van de MRI-scan is dat een tumor pas na twee weken definitief kan worden uitgesloten. Het onderzoek neemt veel tijd in beslag. Ik zal later dus nog bericht krijgen. Goed, waarschijnlijk is alles in orde, maar zelfs als er niets aan de hand is, hoe gaat het dan verder? Ik sjok achter Meike aan en wil eigenlijk enkel maar alleen zijn. Als ze naar het museum van de dom wil, komt me dat goed uit. Ik laat haar gaan en we spreken over twee uur af. Ik kan nu zeker geen beelden, gegevens of feiten in me opnemen. Ik wil alleen maar rondlopen, me met de massa laten meevoeren en tot rust komen. Vreemd genoeg voel ik me dan ook eenzaam. Dat is tegenstrijdig. Er zijn mensen voor me, die wijs ik bewust af, en ik voel me toch eenzaam. Pas veel later wordt me duidelijk dat ik op die momenten mijn moeder echt mis. En niemand kan dat gemis opheffen.

We wisten al veel langer dat Tino niet eeuwig bij de bank zou blijven. We hadden het als een soort experiment gezien, dat tamelijk snel bleek te mislukken. Tino heeft jaren voor een uitgeverij gewerkt en hij wilde eens iets anders proberen, maar zijn uitstapje naar de financiële wereld heeft hem snel duidelijk gemaakt waar hij eigenlijk thuishoort: gewoon in de boekenbranche. Intellectueel gezien heeft hij nu te weinig uitdagingen en ook zijn creativiteit wordt niet aangesproken. 'Het is een gouden kooi,' zegt Tino op een avond. 'Ik zal daar nooit gelukkig worden.'

Het is duidelijk dat er iets moet veranderen en we overleggen of hij als zelfstandig redacteur aan de slag zal gaan. We zullen er vooral financieel op achteruitgaan, omdat hij slechts een fractie zal verdienen van wat hij nu in Zwitserland krijgt. Bovendien zijn de eerste jaren als zelfstandige altijd de zwaarste. Je hebt immers nog geen klantenkring, je bent nog niet lang actief in de markt, enzovoort. Aan een vaste betrekking hoef je in Freiburg echter niet te denken, er zijn te weinig uitgeverijen en te weinig vacatures. Natuurlijk zou hij ook in een andere stad kunnen solliciteren, maar we hebben allebei het gevoel dat we de extra druk van een weekendrelatie niet aankunnen. In oktober wordt ons langzaam duidelijk dat hij de stap begin volgend jaar moet wagen.

In de herfst van 2004 vier ik mijn negenentwintigste verjaardag. We houden een klein feestje bij ons thuis, maar ik kan er niet meer zo van genieten als de afgelopen jaren. Het wordt me steeds duidelijker dat ik langzaamaan in de echt gevaarlijke levensfase terechtkom. Volgend jaar al begint mijn leeftijd met een drie. Als ik draagster van de mutatie ben, is de pret voorbij. In onze familie is iedereen begin tot halverwege de dertig ziek geworden. Het bloed van oma zou nu al een dik jaar in Keulen moeten zijn. De arts had me al uitgelegd dat het minstens een jaar zou duren omdat er steeds een paar bloedmonsters verzameld moeten worden. Bovendien is het geen alledaagse klus om het defect op te sporen. Er moet een hele reeks mutaties, die zich over verschillende plekken van het erfelijk materiaal uitstrekken, worden bekeken. Bovendien weten de wetenschappers niet of het om BRCA1 of 2 gaat. Er zijn dus heel wat variabelen die minutieus moeten worden onderzocht. In elk geval was bij de controle in augustus alles in orde.

Eind januari heb ik nog steeds geen bericht uit Keulen gehad. Nu heb ik helemaal geen goed gevoel meer, maar ik probeer er niet over na te denken. Misschien is er toch iets misgegaan met oma's bloed? Dan hadden ze me toch wel ingelicht? Maar als dat niet zo is? Ik moet toch nog maar een keer bellen.

Ik probeer mezelf ertoe te zetten. Een telefoontje kost toch echt geen moeite. Ook Tino moedigt me aan navraag te doen in Keulen. Hij heeft gelijk. Bovendien moet ik een nieuwe afspraak bij dokter König maken, dan kan ik ook wel meteen naar Keulen bellen.

Nadat ik onbewust nog wat blijf dralen, ga ik eindelijk tot actie over. Ik heb zelfs geluk, want ik krijg meteen een arts aan de telefoon. Ze legt me maar weer eens uit dat voor een test meerdere personen moeten samenwerken, als een soort kwaliteitscontrole. Daardoor zou het goed kunnen dat er af en toe vertragingen optreden. Binnenkort begint er echter weer een testreeks en daar zit ik beslist bij.

Ik hang op en heb het gevoel dat ik eindelijk weer kan ademhalen. Aan mijn enorme opluchting merk ik pas hoezeer het me heeft bezig gehouden.

In de twee weken die volgen, hoor ik niets uit Keulen. De gang naar de brievenbus wordt steeds vervelender. Tino is sinds een paar weken inderdaad als zelfstandig redacteur aan het werk. Nu bevolken we samen onze werkkamer, de bureaus vormen een L in het midden van de kamer. Het is nog wat onwennig, maar eigenlijk heel leuk. Hij heeft het nog niet druk en houdt zich vooral bezig met onaangename dingen als klantenwerving.

Meestal heeft Tino de brievenbus al geleegd als ik thuiskom. Als ik zelf naar beneden ga, krijg ik een naar gevoel in mijn buik. In maart 2005 is de afspraak bij dokter König in Freiburg. Helaas is het niet mogelijk op één middag dokter König en dokter Binder te zien en daarom heb ik meteen twee afspraken moeten maken. Het is niet zo gemakkelijk om je dan nog gezond te voelen. Ik moet ook twee keer per jaar naar de tandarts, en mijn bijziende ogen moeten ook af en toe gecontroleerd worden. Het grondige oogonderzoek dat mijn oogarts me al drie jaar geleden aanraadde, staat ook nog op mijn doelijstje. Dit gehol naar dokters kost me steeds meer moeite.

Tijdens het onderzoek raak ik met de arts in gesprek over de DNA-test.

'Wat gaat u doen als u de mutatie heeft?' vraagt hij.

'Ik overweeg een mastectomie.'

Daarop vertelt hij me hoeveel tumoren hij jaarlijks opereert. Bovendien vertelt hij enthousiast over de fantastische resultaten die hij met reconstructies met siliconen behaalt.

'Moet je met een siliconen transplantaat niet na een paar jaar opnieuw worden geopereerd?' vraag ik voorzichtig. Ik had gelezen dat een verharding van het omringende weefsel, een zogenoemde kapselfibrose, een complicatie is die relatief vaak voorkomt bij een reconstructie met siliconen, vooral omdat bij jonge vrouwen de transplantaten met wat geluk dertig of veertig jaar in het lichaam zullen zitten. Dokter König spreekt dat echter tegen. 'Het zou voor u toch ook enorme voordelen hebben om hier in Freiburg te worden geopereerd?'

Dat klinkt natuurlijk aantrekkelijk. De omgeving zou vertrouwd zijn, mijn vrienden wonen in de buurt, het zou minder rompslomp met zich meebrengen en die operaties zouden misschien zelfs in de zomervakantie kunnen worden uitgevoerd. Maar iets in het aanbod van de arts staat me tegen. Hij sprak daarnet over alle tumoren die hij jaarlijks verwijdert, maar ik heb helemaal geen tumor en ik wil het ook niet zover laten komen. Is hij dan nog wel de juiste chirurg voor mijn operatie?

Enigszins in de war verlaat ik zijn praktijk. Alles was in orde, maar ik kan er niet echt blij om zijn. Ik mis het gevoel van opluchting. Mijn fiets staat om de hoek tegen een muur, ik doe hem van het slot en loop eerst een eindje om mijn hoofd leeg te krijgen. Ik wil zo langzamerhand echt eens weten wat er aan de hand is. Steeds vaker vraag ik me ook af wat ik zal doen als bij oma geen van beide mutaties wordt gevonden. Kan ik ermee leven als ze me niet definitief kunnen zeggen of ik positief of negatief ben? Eén mogelijkheid is dan om met deze verregaande voorzorgsmaatregelen verder te gaan. Zou ik het aankunnen om twee keer per jaar al dit gedoe en de bijbehorende angsten over me heen te laten komen? Misschien verklaren mijn vrienden en collega's me wel voor gek als ik een mastectomie zonder positief testresultaat laat uitvoeren. Maar alleen dan zou ik rust krijgen. Tenslotte heb ik bij BRCA3 of 4 nog steeds een risico van ongeveer 40 procent. Dat is vier keer zo hoog als bij normale vrouwen.

Ik zucht onwillekeurig terwijl ik mijn fiets door de steegjes van de oude binnenstad duw. Het zou veel gemakkelijker zijn om een beslissing te nemen als ik wist hoe het ervoor staat. Mijn gedachten kringelen steeds in hetzelfde rondje. Opnieuw besluit ik Keulen op te bellen en te informeren.

Deze keer heb ik geen geluk: ik krijg geen arts te spreken. Een vriendelijke secretaresse belooft in elk geval mijn verzoek door te geven en ze verzekert me dat ik binnenkort word teruggebeld. Dat geeft me wat meer hoop. Een paar dagen later staat er inderdaad een bericht van een collega van de arts op het antwoordapparaat als ik uit school kom. Zij kan me ook geen nadere informatie geven, maar belooft me later nogmaals te bellen. Oké, ik heb gedaan wat ik kon. Uiteindelijk kan ik de test ook niet zelf uitvoeren. Toch voel ik me een beetje in de steek gelaten.

SLAPELOOS

Koffiedrinken met Corinna, dat is precies wat ik nu nodig heb. We hebben gisteren afgesproken, ze belde me op. Mijn lesvoorbereidingen voor morgen zijn weliswaar nog niet helemaal klaar, maar misschien helpt het als ik ook doordeweeks wat meer onderneem. Ik sport regelmatig en ontmoet dan ook wel mensen, maar misschien is mijn sociale leven toch niet voldoende. Het valt me steeds zwaarder om regelmatig af te spreken. Altijd denk ik: wie weet wat ik nog te doen heb? Wie weet hoe ik geslapen heb? Die vragen komen de laatste tijd steeds vaker op. Maar misschien word ik er juist niet beter van als ik helemaal niets meer met iemand afspreek. Gewoon eens de stad in terwijl ik eigenlijk moet werken. Als dat me lukt zonder me schuldig te voelen, is het beslist een goede afleiding.

Vandaag kan ik ook wel wat afleiding gebruiken. Afgelopen nacht was het weer een puinhoop. Ik merk het 's avonds al. Ik lig in bed en mijn hart gaat tekeer. Dan weet ik al dat ik het slapen wel kan vergeten. Toen een paar maanden geleden mijn slaapproblemen begonnen, wond ik me 's nachts steeds vreselijk op. Inmiddels snap ik dat het dan alleen nog maar erger wordt. Dus niet gefrustreerd gaan liggen nadenken, ik weet immers dat ik de volgende dag echt wel overleef. Het is wel een heuse kwelling, maar ik ga gewoon naar mijn werk en de dag gaat uiteindelijk voorbij.

Helaas heeft deze ietwat geforceerde, gelaten houding niet als gevolg dat ik beter kan slapen. Ik kan het nu alleen accepteren dat ik 's nachts wakker lig en ik reken erop dat ik de volgende avond als een blok in slaap val. Tot nu toe heb ik in elk geval nog nooit meerdere nachten achter elkaar wakker gelegen. Als Tino naast me in bed uiteindelijk inslaapt, wordt het erg moeilijk. Kort daarna begin ik alle mogelijke kerkklokken in de omgeving te horen. Wat zou ik ze graag uitzetten! Vooral het klokgeluid van twaalf uur is tergend. Ik hoor minstens twee kerken die ook nog kort na elkaar beginnen te luiden. Dat gaat dan minuten lang zo door. Automatisch bereken ik dan de resterende tijd tot de volgende morgen: nog vijfenhalf uur. Als kind hield ik van klokken. Thuis woonden we vlak bij een kerktoren. Die klokken hielden oma Winzker altijd uit haar slaap, wat ik als kind absoluut niet kon begrijpen. Ik probeerde oma er altijd van te overtuigen hoe mooi ze klinken. Nu begrijp ik haar maar al te goed.

Inmiddels heb ik het een en ander gelezen over wat je tegen slapeloosheid kunt doen. Het klinkt allemaal heel eenvoudig. Volgens één theorie mag je niet te lang wakker in bed blijven liggen, want dan verbind je het bed met iets negatiefs. Dat wordt een negatieve conditionering genoemd. Toen we afgelopen zomer ons appartement hebben opgeknapt, hebben we ook een goede slaapbank gekocht, die nu in de woonkamer staat. Regelmatig pak ik nu mijn deken en kussen en verhuis ik naar de woonkamer. Toch lijkt die verandering van plaats bij mij niet te werken. Ook in de woonkamer lig ik wakker. Het enige voordeel is dat ik Tino niet stoor.

In die eindeloze uren voel ik uitsluitend leegte. Er is niets. Geen gedachtekronkels of zoiets. Alleen die verdomde leegte. En ik weet niet waar ze vandaan komt. Iedereen slaapt wel eens slecht, dat is normaal als je opgewonden bent of als er iets nieuws in je leven komt. Waarschijnlijk ligt ieder mens ook wel eens een nacht te piekeren. Maar deze leegte kan ik helemaal niet plaatsen. Er is wel een oplossing: slaaptabletten. Ik weet dat ze niet een al te beste reputatie hebben; dat schrikt me af. Ik kan me maar al te goed voorstellen dat je verslaafd kunt raken aan dat spul. Maar die slapeloze nachten zijn gewoonweg verschrikkelijk; als je dat kunt oplossenmet een tabletje... Voor geval van nood heb ik uiteindelijk een recept voor slaappillen gevraagd, voor de nachten dat ik niet rustig kan blijven als de slaap uitblijft. Voordat ik helemaal wanhopig word, neem ik dan een tabletje. Helaas – of gelukkig, daar ben ik nog niet uit – werken deze pillen bij mij maar tot op zekere hoogte. Ik heb in elk geval nooit het gevoel dat ik heb geslapen. Het enige effect is dat de nacht wat sneller voorbij gaat. Maar ook dat is geen garantie; ik heb al eens meegemaakt dat ze helemaal niet werkten. Maar goed, afgelopen nacht is voorbij, vanavond zal ik vast en zeker kunnen slapen. En nu verheug ik me op een kopje koffie met Corinna, cafeïnevrij natuurlijk.

Ik stap op mijn stadsfiets en ga op weg naar de Schwabenpoort. Daar zet ik mijn fiets op slot en loop naar de Bertoldfontein. Zoveel tijd heb ik wel nodig. Ik heb nog niet helemaal begrepen waarom Corinna per se in de stad wil afspreken. We brengen veel tijd door samen, zowel in Freiburg als in de vakantie. Met Corinna ben ik al in allerlei uithoeken van de wereld geweest. Legendarisch is onze vakantie naar Florida. Toen waren we tijdens een kanotocht door de Everglades de weg kwijtgeraakt. Nadat we allebei ietwat in paniek raakten, kwam er uiteindelijk iemand op een andere boot voorbij die daar woonde en die we naar de weg konden vragen. Hij keek ons aan, keek in de richting waarin we het laatste halfuur hadden gepeddeld en zei: 'Oh, you're on the way to Cuba!' Vervolgens legde hij ons uit hoe we terug konden komen. Maar die uitspraak werd een *running gag* tussen ons.

We bellen uren met elkaar, gaan samen fietsen, hardlopen, wandelen, we koken samen, wisselen lesmateriaal uit of we gaan winkelen. Dat laatste doen we meer in de vakanties, dus is het me niet helemaal duidelijk waarom ze me vandaag per se in de binnenstad wil zien. Ze drong er echt op aan toen ze belde. Ik had het ook goed gevonden om een stuk te gaan wandelen. Maar goed, ik zal nog wel een uitleg krijgen.

Als ik op onze ontmoetingsplek kom, wacht ze al onder de klok op de hoek van de Kajo- en de Bertoldstraat. Dit is de populairste ontmoetingsplek van de stad: aan de Bertoldsfontein onder de klok. We omhelzen elkaar, het is fijn haar te zien. Dan bespreken we kort waar we heen gaan. Met de Amerikareis in onze herinnering belanden we snel bij Starbucks. Dat is maar een paar meter de Kajostraat in.

We halen een warm drankje en vinden een gezellig plekje aan het raam. We nemen eerst de laatste nieuwtjes door. Bij mij gaat het helaas weer over mijn slapeloze nachten, deel 29. Aan haar kan ik dat allemaal wel vertellen. Ik heb het gevoel dat ze me begrijpt. Misschien komt dat doordat het met haar de afgelopen tijd ook niet zo goed gaat. Ze heeft wel andere klachten dan ik, maar het gaat niet zo goed als je zou willen op je dertigste. Ze heeft te kampen met heftige allergieën, heeft vaak last van benauwdheid en lijdt onder de angsten die daarmee gepaard gaan. We hebben allebei het gevoel dat we voortdurend op de proef worden gesteld. Af en toe lachen we er ook om: stel je eens voor dat iemand ons zou horen. Waarschijnlijk zou diegene denken dat hier twee tachtigjarige oma's aan het woord waren. Hoewel ons gesprek als gewoonlijk verloopt, raak ik het gevoel niet kwijt dat er nog iets is.

'Zullen we nog wat door de stad slenteren?'

Het voorstel van Corinna komt tamelijk abrupt.

'Oké?'

We verlaten het warme café en duiken de koele voorjaarslucht in. Voor een doordeweekse dag is het bijzonder druk in de stad. Ik voel me niet op mijn gemak en bovendien is er iets met Corinna aan de hand. Ons gesprek krijgt een vreemde ondertoon. Dat vermoeit me en ik wil nu eigenlijk graag naar huis.

'Laten we naar de Schwabenpoort lopen, daar staat mijn fiets,' zeg ik.

Corinna stemt in. Vlak voor de stadspoort zegt ze dan toch wat ze op haar hart heeft.

'Ik moet je nog wat zeggen. Ik wilde het al de hele tijd zeggen, maar het gaat niet goed met je,' ze werpt me een korte blik toe, 'en daarom durfde ik niet.'

Wat is dit nou? Het gaat de laatste tijd niet anders dan anders; zij klaagt toch ook voortdurend? En ik luister net zo goed naar haar problemen als zij naar de mijne. Waarom moet ze dan nu opeens rekening met me houden? Dat wil ik helemaal niet.

'Ik had al het idee dat er iets was,' zeg ik.

'Ik ben zwanger.'

Zwanger. Dat overvalt me. De tranen schieten me in de ogen, geen idee waarom. Ik wist wel dat ze ooit kinderen wilde, maar dat dit iets voor nu was, is nieuw voor me. Bovendien gaat het toch ook niet zo goed met haar?

'Was het gepland?'

'Ja, natuurlijk, ik heb altijd al een kind gewild. Waarom huil je?'

Ja, waarom huil ik eigenlijk? Ik zou toch gewoon blij voor haar kunnen zijn? Maar ik voel alleen maar somberheid. Na een paar minuten ben ik wat rustiger en zeg: 'Ik ben verdrietig, omdat het op dit moment veel te slecht met me gaat om een kind te krijgen. Bovendien heb ik natuurlijk nog andere zorgen.'

'Maar dat is nu juist het mooie!' stelt Corinna me gerust. 'Zo'n kind geeft je leven heel veel zin. Dan wordt al het overige onbelangrijk.'

Een kind moet het leven zin geven? Dan krijgt dat kind wel

meteen een loodzware opdracht mee. Het moet de taak op zich nemen die een volwassen vrouw zelf niet aankan. Naast het verdriet over mijn eigen toestand merk ik dat ik deze houding helemaal verkeerd vind. Maar dat kan ik nu allemaal niet uitleggen, want ik moet nog steeds huilen.

'Ik ben nogal in de war,' stamel ik ten slotte, 'het is me allemaal te veel. Ik moet eerst mijn gedachten op een rijtje zetten.'

Na een kort afscheid ga ik naar huis, maar de weg terug is te kort. Ik hoef alleen over de Schwabenpoortbrug, de volgende straat in en ik ben al thuis. Daar aangekomen begrijp ik het nog steeds niet. Gelukkig is Tino thuis. Ik vertel hem eerst het hele verhaal.

'Ik snap gewoon niet dat Corinna in haar toestand een kind wil,' klaag ik tegen hem. 'Ik dacht altijd dat we elkaar kenden en begrepen.'

Waren haar klachten wel zo ernstig als ze altijd deed voorkomen? Heeft ze gewoon overdreven? Dat geloof ik niet. Maar als het echt zo slecht met haar gaat, wil ze dan voor de rest van haar leven voor lief nemen dat alles haar altijd te veel is, dat ze naar mijn idee psychosomatische klachten heeft?

Ik begrijp de wereld niet meer. Ik voel me eenzaam – het bekende gevoel dat ik niet kan thuisbrengen. Tino probeert me wel te troosten, maar deze zwangerschapsaankondiging heeft te veel bij me teweeggebracht. Het huilen put me volledig uit. De slapeloze nacht, het vreemde cafébezoek, deze afloop – het is te heftig! Ik ben gewoon kapot.

Een paar dagen later belt 's avonds onze vriend Horst op. Hij werkt in een bedrijf dat klinische studies op het gebied van de oncologie uitvoert.

'Woensdag is er in Freiburg een lezing van dokter Kaufmann uit Frankfurt. Hij spreekt over borstkanker. Ik moet er voor mijn werk heen. Is het niet iets voor jullie?'

Het is nu maandag; daar komt hij lekker op tijd mee! Maar eigenlijk is er niets op tegen. 'Kunnen we dan zomaar meegaan?'

'Natuurlijk, het is officieel voor artsen en farmaceuten, maar niemand controleert waar jullie vandaan komen. We spreken gewoon even voor acht uur af voor het Loretto-ziekenhuis en gaan dan samen naar binnen.'

Typisch Horst, denk ik, hij kent geen enkele gêne.

'Oké, afgesproken. Tot dan.'

Het Loretto-ziekenhuis ligt midden in de idyllische wijk Wiehre, waar wij ook wonen, maar iets hoger op de Loretto-berg. Vanuit de aula heb je een uitzicht op de stad met de Münstertoren en daarachter de eerste heuvels van het Zwarte Woud. Het kan inderdaad niemand wat schelen of we zijn uitgenodigd en waar we vandaan komen. Wel zijn we een paar minuten te laat, maar dat hoort gewoon bij Horst. We gaan in het midden van de goed gevulde zaal zitten, waar een groot farmaceutisch bedrijf notitieblokken en informatiemateriaal op de stoelen heeft gelegd. Na het gebruikelijke kwartiertje vertraging worden we door de organisator verwelkomd.

Ik schrik op en buig naar Tino. 'Dat is dokter König!' fluister ik.

Wat een toeval dat juist míjn gynaecoloog deze lezing heeft georganiseerd.

Hij verwelkomt de aanwezigen. 'Ik weet dat sommigen van u zelfs helemaal uit Offenburg zijn gekomen,' zegt de arts er nadrukkelijk bij.

Ik kan een grijns niet onderdrukken. Ik rijd dagelijks nog verder dan Offenburg. Maar goed, ik ben hier niet omdat ik meer wil weten over het werkgebied van dokter König. De spreker, dokter Kaufmann, gaat achter de lessenaar staan en het volgende uur begrijp ik er maar heel weinig van. Het gaat vooral over de verschillende soorten chemotherapie en geneesmiddelen tegen borstkanker. Steeds weer benadrukt hij de vooruitgang in de genezing die de medische wetenschap heeft geboekt. Tino wijst zonder iets te zeggen op het notitieblok met het logo van het farmaceutische bedrijf en ik knik. Het is beslist geen toeval dat hier zo positief over de geneesmiddelen tegen kanker wordt gesproken. Toch klinkt het bemoedigend dat de wetenschap blijkbaar vooruitgaat. Tijdens de afsluitende discussieronde is het even heel boeiend. Een gynaecoloog vraagt wat hij borstkankerpatiënten met een familiaire achtergrond zou aanbevelen. De arts antwoordt kort: 'Het meest doeltreffend is een preventieve mastectomie, aangezien de genezingskansen vooral bij BRCA1 relatief klein zijn.'

Dat is duidelijk! Terwijl hij net de voortgang in de ontwikkeling van geneesmiddelen heeft toegelicht. Het is nuttig om dat zo duidelijk van een gekwalificeerde specialist te horen. Het was dus zeker de moeite waard om hierheen te komen.

We staan nog een paar minuten bij de hapjes en drankjes die na de lezing worden aangeboden en bespreken met Horst wat we net hebben gehoord. Hij is een pientere en eigengereide kerel. Zijn ideeën zijn soms wat onalledaags, maar vaak ook verrijkend.

'Hebben jullie onderhand al iets uit Keulen gehoord?' wil hij weten.

'Nee, ze wachten daar op de resultaten van een aantal tests.'

'Maar dat duurt nu toch al vrij lang...?'

'Bijna twee jaar,' zeg ik.

Horst kijkt verbaasd. 'Jullie weten toch wel dat het academisch ziekenhuis van Freiburg de test ook kan uitvoeren? En ze hebben daar maar een paar weken nodig!'

Nee, daaraan hebben we nog niet gedacht, maar ik ben er niet enthousiast over. Opnieuw beginnen met de procedure, daar heb ik echt geen zin in. Horst legt uit dat dit via het centrum voor genetica zou verlopen.

Even lijkt Horst' variant toch een echt alternatief, tot ik me bedenk waarom het in Keulen zo lang duurt: ze onderzoeken eerst oma's bloed, en alleen dán kan de mutatie definitief bij mij worden uitgesloten. Een negatieve uitslag van het academisch ziekenhuis van Freiburg zou me dus geen klap verder helpen.

'Laten we gaan,' zeg ik. 'Ik ben moe.'

Dit schooljaar geef ik voor het eerst sinds de invoering van het nieuwe onderwijsplan het nieuwe vak natuurwetenschappen. Het houdt voor mij flink wat extra werk in, aangezien ik door de nieuwe inhoud en leerdoelen voor een deel compleet nieuwe lessen moet bedenken. Als beginnend lerares heb ik natuurlijk ook te maken met een gebrek aan routine; voor mijn ervaren collega's is het gemakkelijker. Bovendien ben ik voor het eerst klassendocent van een vijfde klas en ook dat leidt tot een aantal onverwachte taken.

Ik vind het niet gemakkelijk om het toe te geven, maar op dit moment groeit alles me boven het hoofd.

Ik sleep me van vakantie naar vakantie. Sinds een paar maanden vind ik het allemaal niet echt geweldig meer. Bovendien val ik steeds vaker 's nachts niet in slaap. Terwijl ik eigenlijk volledig uitgeput ben. Het is heel akelig: ik kom met moeite de eindeloze nachten door, zonder te weten waarom. Dan is er weer die leegte, die ik niet kan verklaren. Tegelijkertijd worden de taken die de volgende dag op me wachten steeds groter, omdat ik op deze manier nooit kan bijkomen! Ik word steeds banger voor de volgende dag, alles lijkt zo hopeloos. Bovendien berooft deze angst me nog meer van mijn slaap. Ik word op zijn laatst 's avonds bang voor de nacht die komt en het liefst zou ik helemaal niet meer naar bed gaan, hoewel vaak tijdens het avondeten al alles me pijn doet en ik me ellendig en slap voel. Het is een vicieuze cirkel en in het voorjaar van 2005 zit ik er tot over mijn oren in. Ik vertoon de typische symptomen van een burnout, hoewel ik nog geen drie jaar aan het werk ben.

Een paar dagen later (ik heb de lezing met succes verdrongen) komt Tino er nog eens op terug. 'Wat wil je nu eigenlijk met Keulen doen?'

'Wat ik wil doen?' Ik kijk hem geërgerd aan. 'Ik kán toch niets doen? Bellen heeft geen zin. Ik ben er in augustus toch weer.'

Tino weet natuurlijk dat het steeds slechter met me gaat. Mijn slapeloze nachten belasten hem ook.

'We kunnen toch een boze brief sturen en proberen om zo wat druk uit te oefenen,' stelt hij voor.

'Een brief? Voor mijn part. Maar alleen als jij hem schrijft.'

Mij is het te veel moeite en ik heb weinig hoop dat het werkt. Tino merkt het.

'We sturen hem rechtstreeks naar de arts en dreigen te stoppen met het onderzoek. En we versturen de brief aangetekend.' Hij grijnst. 'Die arts weet waarschijnlijk ook niet hoe het ervoor staat, maar zoveel deelneemsters zal dit onderzoek niet hebben.'

Misschien kan dit toch wat opleveren. Het onderzoek dat door het borstkankercentrum wordt uitgevoerd, vind ik nog steeds heel nuttig. Natuurlijk wil ik er niet echt mee stoppen, maar je kunt er misschien best een beetje mee dreigen. Zelf zou ik niet op het idee zijn gekomen, het zou wel eens kunnen lukken. Tino gaat meteen achter de computer zitten en schrijft namens mij een beleefde, maar heel duidelijke brief. En hij vraagt om een reactie per ommegaande. Ik lees de brief door en onderteken. Tino rent snel naar de brievenbus, zodat de brief morgenochtend in Keulen is.

Nog geen vierentwintig uur later rinkelt de telefoon en is Keulen aan de lijn. Ongelooflijk, denk ik.

Helaas ontbrak de officiële goedkeuring van oma, zodat het lab het bloed van oma helemaal niet heeft verwerkt. De arts biedt meerdere keren haar excuses aan voor het feit dat ik daarvan niet op de hoogte ben gebracht. Ik toon alle begrip: ik kwam tijdens de verhuizing van het centrum van Bonn naar Keulen, en dan kan er wel eens iets misgaan. Het doet er nu ook niet meer toe, ik moet voor die handtekening zorgen. Dan zal ik binnen afzienbare tijd meer weten. En dat is het allerbelangrijkste.

WEG VAN ALLES

Juni 2005

Een van mijn lievelingsrestaurants in Freiburg heet grappig genoeg Oma's Keuken. Het ligt tegenover het oude station van Wiehre, waar al jaren geen trein meer stopt. Nu is het leuke stationnetje een cultureel centrum en huisvest het een bioscoop. Het voormalige stationsplein is lang geleden met bomen beplant en waar vroeger de spoordijk was, wordt nu twee dagen per week een bonte biologische markt gehouden met vele kramen. Op zwoele zomeravonden komen de bewoners van de wijk graag samen voor een spelletje jeu de boules en een glas rode wijn. Nergens in Freiburg is het Franser dan hier.

Oma's Keuken is praktisch mijn balkon. Je kunt er buiten zitten, op de stoep, met uitzicht op het plein. We wonen in een vrij kleine driekamerwoning. De grootste kamer is onze werkkamer, die volledig wordt gevuld met de twee bureaus en vele boekenkasten. En doordat we onder het dak wonen, hebben we geen balkon. Voor mij als warmte- en zonaanbidder is dat al een hele opoffering. Op die dagen van het jaar waarop andere mensen op hun balkon zitten, ga ik dus graag koffie drinken of lunchen in Oma's Keuken.

Het is begin juni, het schooljaar loopt langzaam ten einde. Nog een kleine twee maanden tot de zomervakantie. Het is vrijdagmiddag, ik was vroeg klaar, zodat ik bij wijze van uitzondering tegen lunchtijd in Freiburg ben. Ik heb met mijn vriendin Katja in Oma's Keuken afgesproken. Katja is ook lerares, op een basisschool.

Ik ben er eerder dan Katja en zoek een plekje in de zon uit. Het is nog niet zomers warm en het is nog best uit te houden zonder schaduw. Korte tijd later komt mijn vriendin de hoek om. We maken onze keus voor de lunch en wisselen schoolverhalen uit. Eigenlijk moet alles nu licht en ontspannen zijn, zo vlak voor het einde van het schooljaar, maar weer merk ik dat het me zelfs al vermoeit om hier te zitten en met Katja te praten. De pinkstervakantie is nog maar net voorbij en ik zou dus uitgerust moeten zijn. Maar dat ben ik gewoon niet en ik voel me nog altijd en steeds meer uitgeput.

Uiteindelijk komen onze borden. Nadat we alles met smaak hebben opgegeten, kijkt Katja me lang aan. Dan zegt ze: 'Evelyn, het is me overduidelijk dat je helemaal kapot bent.'

Oef, is het zo duidelijk? Of heeft Katja gewoon goed gekeken?

'Ja, je hebt gelijk,' zeg ik aarzelend. Maar dan barst ik los. 'Ik heb tegenwoordig maar net genoeg energie om de week door te komen. Vrijdags ben ik doodop, ik weet niet meer wat ik moet doen.'

De serveerster ruimt af en vraagt of het heeft gesmaakt.

'Heb je al eens aan een kliniek gedacht?' vraagt Katja, als het meisje weer weg is.

Nee. Ik ben perplex. Daar heb ik nog nooit aan gedacht. Het is een volstrekt nieuw idee.

'Het zou je beslist goed doen: weg van alles, relaxen.'

Daar moet ik eens over nadenken. Het klinkt in elk geval aanlokkelijk: een time-out, even de dagelijkse tredmolen ontvluchten. Het onderwerp verdwijnt vervolgens naar de achtergrond en we hebben het over andere dingen, maar het idee heeft zich in mijn hoofd genesteld.

Thuis vertel ik Tino meteen over Katja's idee. Hij zit aan zijn bureau verwoed op zijn toetsenbord tikken. Het is hoogseizoen voor zelfstandige redacteurs, want het herfstaanbod van de uitgevers wordt nu samengesteld. Tino heeft een paar opdrachten in de wacht gesleept, maar er is nog wel wat ruimte over. Financieel redden we het wel, maar dat komt vooral doordat ons huis zo goedkoop is. 'De vaste kosten laag houden' is dan ook ons motto van het moment.

Ook Tino is verrast door het idee.

'En wat voor kliniek zou dat dan zijn?'

'Geen idee, ik weet niet wat er mogelijk is,' zeg ik. 'Ik weet alleen wel dat het zo niet langer gaat. Misschien helpt het als ik in de zomervakantie naar zo'n oord ga. We hebben toch geen vakantieplannen.'

Tino kan niet weg, want er kan immers elk moment een opdrachtgever bellen. Maar het idee van een kliniek lijkt hem te overtuigen. 'Waarom pas in de zomervakantie?'

'Hè, je weet toch ook wel dat ik volgende week met de vijfde op schoolkamp moet,' zeg ik boos. 'Bovendien komen de rapporten eraan en moet ik de cijfers nog berekenen en ik moet dus nog proefwerken maken. Ik kan nu niet weg.'

Moet, moet, moet. Dat is momenteel het refrein van alles wat ik zeg.

Daarmee is de discussie voorlopig ten einde; ik moet dringend aan het werk. Ik zet in de keuken theewater op en start in de werkkamer mijn computer op. Eerst maar eens de schoolzaken op orde brengen. Tino is weer op zijn laptop bezig.

Bij het ordenen van mijn lesmateriaal dwalen mijn gedachten steeds af naar deze nieuwe mogelijkheid. Ik zie steeds duidelijker dat ik eigenlijk alleen nog maar mijn taken verricht; ik weet totaal niet meer waarom. Komt het omdat er nog geen uitslag is van de gentest? Ben ik daardoor zo opgebrand? Dat zou ik toch wat overdreven vinden. Of ben ik het klassieke geval van een leraar met een burn-out? Meteen het doel gehaald, terwijl ik pas drie jaar op school werk... Natuurlijk, de baan is vermoeiend, mijn jaren als leraar in opleiding waren uitputtend, steeds onder druk staan om goede cijfers te halen om vervolgens een van de schaarse functies in overheidsdienst in de wacht te slepen. Maar eigenlijk geeft de school me veel plezier. Tot voor zes tot negen maanden geleden. Of praat ik mezelf dit aan? Ben ik eigenlijk lerares geworden omdat mijn moeder het was en ik op de een of andere manier meende in haar voetsporen te moeten volgen? Is het een verkeerde keuze geweest? Ben ik niet geschikt en voldoe ik niet aan de eisen die het werk voor een klas met meer dan dertig pubers stelt? Dan zou al die moeite voor niets zijn geweest: vier jaar studie en anderhalf jaar als leraar in opleiding voor niks – alleen maar omdat ik onbewust net als mijn dode moeder wilde zijn?! Nee, onzin, dat kan niet. Ik wilde altijd al iets met kinderen doen, en het heeft ook niets met mama te maken. Het voelt nog steeds goed. Maar waar zou ik dan zo moe van worden?

Na een halfuur zegt Tino opeens: 'Je zou in zo'n oord een psychosomatische behandeling kunnen volgen.' Hij kijkt me aan over de rand van zijn beeldscherm. Blijkbaar heeft hij dat net op internet opgezocht. 'Het lijkt me ideaal voor jou. Er is een kliniek die maar een uur van Freiburg vandaan ligt, ergens in het zuiden van het Zwarte Woud.'

Ik sta op en bekijk het. Tino heeft nog meer klinieken gevonden en we surfen langs de verschillende websites. 'Hoe gaat dat dan? Hoe vraag je zo'n verblijf in een kliniek aan? Zijn er wachtlijsten?' vraag ik.

Tino heeft het al uitgedokterd. 'Er zijn klinieken waar je onmiddellijk terechtkunt, en andere hebben wachtlijsten van een paar weken. Maar dan moet de zorgverzekering het verblijf eerst nog wel goedkeuren.'

Dat klinkt weer als veel gedoe. Ik zucht.

'Ik kan een afspraak bij de huisarts maken voor na het schoolkamp, maar nu moet ik echt aan het werk.'

De volgende ochtend tijdens het ontbijt praten we er weer over. Ook vandaag lijkt zo'n behandeling me een goed idee. Tino vindt het nog steeds onzin om tot de zomervakantie te wachten. We voeren de bekende discussie: schoolkamp, rapporten, enzovoort. Dan gaat de telefoon. Het is mijn collega-carpooler Klaus.

'Hoe zit het maandag bij jou? Kan ik met je meerijden voor het eerste uur?'

'Ik denk het wel.'

Klaus reageert verbaasd. 'Hoezo: je denkt van wel?'

Ik kijk er zelf ook van op. Iets in mij twijfelt er blijkbaar al aan of ik volgende week nog wel op school ben.

'Als er iets verandert, bel ik je,' zeg ik snel.

Klaus laat zich echter niet afschepen. Per slot van rekening kent hij me inmiddels vrij goed.

'Wat zou er dan moeten veranderen, waarom kun je het niet zeker zeggen? Ben je ziek?'

'Nee, alleen... ach, laat maar,' stamel ik.

'Evelyn,' hij klinkt nu bijna boos, 'niks "laat maar". Wat is er aan de hand?'

'Ik ben gewoon nogal opgebrand,' gooi ik er uit. 'Ik zit niet lekker in mijn vel en ik overweeg om me in een kliniek te laten opnemen. Voor een psychosomatische kuur of zoiets. Maar eigenlijk wil ik pas in de zomervakantie gaan.'

Eigenlijk weet ik niet meer zo zeker of ik nog wel zolang kan wachten. Klaus heeft het meteen door.

'Evelyn, als je maandag op school komt, praat ik niet meer met je. Reken daar maar op. Je bent kapot, dus doe er wat aan. De school vergaat niet zonder jou!'

'Maar...'

'Geen denken aan: blijf thuis, regel de toestemming en hou me op de hoogte. Ik zeg maandagochtend op school dat je niet komt. Tot ziens.'

Ik kijk wat ongelovig naar de hoorn. Hij heeft gewoon opgehangen. Dat is typisch Klaus. Natuurlijk luistert hij niet naar al mijn bezwaren over het schoolkamp. Hij heeft ook volkomen gelijk. En zijn dreigement, dat hij niet meer met me praat, zal hij nog uitvoeren ook. En dan zou ik de laatste weken van het jaar alleen moeten rijden. Verdomme, hij zet me echt onder druk! Ik kan toch niet zo maar... Wat zullen de ouders wel niet zeggen? En hoe moet het met mijn leerlingen? Ik had er toch zelf ook zin in? Dat gaat allemaal door mijn hoofd. Het schoolkamp is een hoogtepunt voor de kinderen; het is iets wat ze nooit van hun leven vergeten. Ook voor mij als lerares is het leuk, ik leer mijn jongens en meisjes beter kennen, buiten de vijfenveertig minuten van de les om, zonder de druk van de rapporten, zonder de angst dat de lesstof niet op tijd wordt behandeld. Natuurlijk is zo'n kamp ook vermoeiend, want die kinderen gaan vast niet slapen en je bent er dus vierentwintig uur per dag aan het werk. Toch krijg je er als leraar veel voor terug, vooral na het kamp is het op school heel anders werken. Het is in elk geval een inspanning die ons allemaal wat oplevert.

Maar ik moet toegeven dat ik op dit moment eerder met de nodige angst naar deze week uitkijk. Als ik daar ook niet kan slapen – wat een hel! Daarnaast zou ik dan tijdens de laatste weken van het schooljaar ook nog bij artsen en de zorgverzekering toestemming voor opname die een kliniek moeten regelen? En wie zegt dat ik dan precies aan het begin van de vakantie weg kan... Help, dat wordt niks. Zal ik me dan toch maar meteen ziek melden?

Achteraf is het heel duidelijk. Ik was in een situatie terechtgekomen waarin ik het niet meer iedereen naar de zin kon maken. Na de dood van mijn moeder was dat juist zo'n beetje mijn levensmotto geworden: het iedereen naar de zin maken. Ik moest en zou gewoon doorgaan, misschien ook om mijn verdriet te verdringen, want daar werd bij ons thuis niet over gesproken. Mijn broertje en zusje, voor een deel het huishouden, daarnaast het gymnasium en het eindexamen – er was altijd genoeg te doen. Ik was zo vroeg al voor zoveel dingen helemaal alleen verantwoordelijk. En als er iets misging, kreeg mijn vader alleen een van zijn idiote woedeaanvallen in plaats van dat hij me geruststelde. Daarna studeren zonder zijn financiële steun, steeds die angst om later geen baan te vinden en ook het idee dat ik de hoogste cijfers moest halen: druk, druk, druk. Dat gaat nu al vijftien jaar zo... Vreemd genoeg ging het pas op dit moment zo slecht met me, nu er eigenlijk geen grote druk meer is. Maar mijn energie is onderhand gewoon op.

Ik hang nog de halve zaterdag rond, maar eigenlijk weet ik dat ik naar een kliniek wil – en wel zo snel mogelijk.

's Middags bekijk ik nog eens de websites van de verschillende klinieken. Tino is nog steeds overtuigd van de kliniek in de omgeving. Dan kan hij me doordeweeks gemakkelijk bezoeken. Dat is natuurlijk waar en ik zou bijvoorbeeld in het Zwarte Woud kunnen blijven fietsen, want zonder fiets ga ik zeker nergens heen. Toch twijfel ik. Het voelt niet helemaal goed, ik weet zelf niet precies wat het is. Ik zoek dus verder en vind bij een kliniek in de Allgäu. Die klinkt heel goed, tot ik lees dat ze er uitsluitend suikervrij eten en volkoren spul hebben. O nee, dat is helemaal niets; ik eet al gezond en houd van eten. Ik zou daar echt vergaan met zulke strenge regels. In een kliniek aan het Bodenmeer zijn partners de eerste vier weken niet welkom. Denken ze soms dat ik zo lang wil blijven?! Ik geloof nog steeds dat het allemaal in twee of drie weken kan worden afgehandeld. Nee, nee, dat is ook niets. Schönau am Königssee, waar ligt dat? Bij Berchtesgaden, direct tegen de Watzmann, in Opper-Beieren, vlak bij Salzburg. Het concept bevalt me. Er staat ook iets over 'omgaan met kanker'. Zover is het bij mij nog niet, maar het is wel iets om rekening mee te houden. Eens naar de treinverbindingen kijken. Allemachtig, dat is helemaal aan de andere kant van Duitsland. Zeven uur met een snelle treinverbinding! Wachttijd voor een plaats: drie tot vier weken. Dat duurt te lang! Ik kan toch niet hier thuis op een plaats gaan wachten terwijl ik op school nodig ben. Toch zou Schönau goed zijn. Er zijn mooie bergen, de kliniek is niet al te klein, er zijn naast de psychosomatische afdeling nog andere afdelingen en het personeel ziet er aardig uit. En het is ver weg. Plotseling zie ik in dat ik dat precies nodig heb. Weg van alles – en wel zo snel mogelijk! Tino steunt me ontzettend goed, maar misschien moet dat maar eens afgelopen zijn. Ik in mijn eentje. Misschien wordt me dan duidelijker wat mijn probleem nu eigenlijk is. Instinctief weet ik dat het de juiste beslissing zal zijn. Ik weet nu wat ik wil. Tino is niet bepaald blij met het feit dat ik naar de andere kant van Duitsland wil. Dat begrijp ik wel, want het zal dan lastig worden om op bezoek te komen. En dat nog wel in de zomer, nu hij veel opdrachten heeft. Toch begrijpt hij mijn argumenten en hij vindt het fijn dat ik aanvoel wat ik nodig heb. Ik grijp de telefoon en vraag in de kliniek hoe lang de wachtlijsten zijn. Ik krijg het antwoord dat ik al ken: drie tot vier weken vanaf het moment dat de aanvraag binnen is. Wat een ellende.

Maandagochtend ga ik na het ontbijt meteen naar mijn huisarts. Ik wil hem over mijn beslissing vertellen en hem vragen zo snel mogelijk een verwijzing te regelen. Hij is een jonge, vriendelijke man met zeer veel kennis van zaken en hij neemt altijd veel tijd voor zijn patiënten. Alleen de administratieve rompslomp is niet bepaald zijn sterkste kant. Daarom weet ik dat het niet zo gemakkelijk zal zijn om hem snel tot actie over te laten gaan. Om het zo eenvoudig mogelijk voor hem te maken heb ik alle belangrijke informatie meegenomen: de adressen voor de aanvraag bij de zorgverzekering en uitkeringsinstantie voor ambtenaren en het adres van de kliniek. Inmiddels weet ik 100 procent zeker dat ik naar Schönau wil. Dat laat ik niet meer uit mijn hoofd praten. Als ik mijn best doe, krijg ik misschien ook eerder een plaats.

Mijn huisarts vindt het idee van een behandeling in een kliniek heel goed. Hij maakt zich al langer zorgen, omdat ik al een tijdje met mijn gezondheid sukkel: hier een verkoudheid, daar een maag-darminfectie, dan ter afwisseling eens een verrekking van mijn gewrichtsbanden, enzovoort. Hij kent mijn voorgeschiedenis en weet onder wat voor druk ik jarenlang heb gestaan. Hij vraagt nadrukkelijk waarom ik naar deze kliniek wil en of ik ook andere bekeken heb, maar ik laat er geen twijfel over bestaan. Ik heb ook niet de indruk dat hij me ervan af wil brengen. Waarschijnlijk wil hij het gewoon begrijpen. Uiteindelijk zegt hij bereid te zijn een aanvraag in te dienen en ik maan hem meteen tot spoed. 'Kunt u de aanvraag zo snel mogelijk versturen?'

'Mevrouw Heeg, er zijn daar toch wachtlijsten.'

'Dat weet ik, maar ik wil nu eenmaal zo snel mogelijk weg. Anders zit ik thuis terwijl ik op school nodig ben. En dat voelt erg stom. Als ik in de kliniek zou zijn, zou het duidelijker zijn.'

'Goed, ik beloof u dat ik het vanavond nog zal regelen.'

Ja, eigenlijk zou ik nu op school moeten zijn. Maar school is al ontzettend ver weg. En ik heb nog niet eens met de rector gesproken.

Thuis bel ik meteen nog eens naar de kliniek, met een andere tactiek. Ik meld dat de aanvraag al is ingediend en dat de verwijzing niet lang op zich zal laten wachten, omdat het zeer dringend is. Een leugentje om bestwil.

'Natuurlijk, mevrouw Heeg, ik noteer uw gegevens en zet u op de wachtlijst. Dan krijgt u van ons bericht zodra er een plaats vrijkomt.'

'En hoe lang duurt dat?'

'Dat kán al volgende week zijn, maar het kan ook nog even duren.'

Opgelucht hang ik op. Misschien al volgende week: dat is goed nieuws.

's Middags rinkelt de telefoon aan één stuk door. Dat was ook wel te verwachten: zo kort voor het schoolkamp willen de ouders weten wat er met de klassenlerares aan de hand is. Wat moet ik zeggen? Ik weet zelf niet eens hoe alles wordt geregeld. Klaus heeft me op school ziek gemeld en doorgegeven dat ik niet mee kan op schoolkamp. Ik moet nog steeds de rector bellen, maar ik heb hem nog niet kunnen bereiken.

Met Tino spreek ik af dat hij alle ouders eerst afwimpelt. Ik kan niet aan de telefoon komen, per slot van rekening ben ik ziek. Wat klinkt dat raar: 'ik ben ziek'. Maar goed, in feite is dat de waarheid. Er wordt weer gebeld, Tino reikt me vragend de telefoon aan: het is een collega.

'Evelyn, alles is in orde. Geef de papieren voor het school-kamp maar aan Peter mee, hij woont praktisch bij je om de hoek. Alles is geregeld.'

Dat is fijn, ik bedank haar. 'Is de klas ook al op de hoogte?'

Dat weet mijn collega niet.

We praten nog een tijdje over regeldingetjes, maar er komt geen verwijt. Dat verbaast me eerlijk gezegd. Ergens had ik daar op gerekend, want uiteindelijk zadel ik mijn collega's met een hoop gedoe op. Iemand anders moet op zeer korte termijn mee op schoolkamp, de rapporten moeten op een andere manier gemaakt worden, en dan heb ik het nog niet eens over al die invallessen die nu moeten worden geregeld. Omdat ik deze col-lega ook privé een beetje ken, vertel ik haar hoe ik tot mijn besluit ben gekomen en ze reageert heel positief en vol begrip.

'Heb je al met de rector gesproken?' wil ze nog weten.

'Ik kon hem op school niet meer bereiken.'

'Dan bel je hem vanavond toch thuis op?'

'Kan dat wel?'

'Dat lijkt me wel.'

Ik leg de telefoon weg en ben blij dat ze zo heeft gereageerd. Dat geeft me moed voor het gesprek met de rector, hoewel hij ongetwijfeld ook begrip zal tonen. Ik stop eerst alle papieren in de brievenbus bij de collega die een paar straten verderop woont. Het lucht enorm op om de papieren in de bus te gooien. Steeds weer schiet de gedachte door mijn hoofd: wat zullen ze nu van mij denken? Toch valt er vooral spanning van me af.

De laatste horde, het telefoontje naar de rector, is nu maar een peulenschil. Ik krijg hem onmiddellijk te pakken, leg hem uit dat ik van plan ben een behandeling te gaan volgen in een kliniek. Hij informeert verder op een begripvolle manier. Weer geen enkel verwijt. Dat is toch een nieuwe ervaring voor mij. Tenslotte was dat altijd de reactie van mijn vader als ik een fout had gemaakt of op een of andere manier 'tekortschoot': verwijten, geschreeuw en later zelfs een draai om mijn oren. Dat zit er blijkbaar nog erg in. Maar goed, het schooljaar zal nu dus echt zonder mij aflopen. Ik zal de cijferlijsten maken, het proefwerk op mijn bureau nog corrigeren, de stand met betrekking tot de lesstof doorgeven en vervolgens eerst maar eens aan mezelf denken.

Gelukt! Ik zit in de trein naar Schönau. Vorige week kwam eindelijk het bericht dat er een bed vrij is, of beter gezegd, een hele kamer. Ik mag er zes weken blijven. Zes weken!

Zo kan ik precies twee weken na mijn besluit aan mijn lange reis naar Opper-Beieren beginnen. Het is op zich al heel vreemd om anderhalve maand lang een behandeling te volgen. Ik heb mijn mountainbike meegenomen, verpakt in een grote tas. De tas is vrij zwaar en moeilijk hanteerbaar, zodat in- en uitstappen en over het perron lopen geen pretje is, want op mijn rug heb ik ook nog mijn grote rugzak. De rest heb ik met de bagagedienst van de spoorwegen meegegeven, die de bagage morgen zal leveren. In Freiburg heeft Tino me nog geholpen en nu zit ik in de eerste trein richting het noorden. Om van Freiburg in München te komen moet je eerst 140 kilometer de verkeerde kant op; pas in Karlsruhe gaat het spoor naar het oosten.

Ik zit bij het raam en kijk uit over de Rijnvlakte. Die twee weken wachttijd gingen uiteindelijk heel snel voorbij. Om te beginnen moest ik nog allerlei formaliteiten afhandelen. We hebben overal benadrukt dat het dringend is; dat was vervelend, maar had succes. Vervolgens heb ik de schoolzaken geregeld. Mijn vrienden en familie moesten ook op de hoogte worden gebracht van mijn beslissing. We zijn zelfs nog kort op bezoek geweest bij oma in Stuttgart. Ze vindt mijn beslissing wel goed, maar helaas moeten we daardoor een ander plan laten varen. Voor de zomervakantie hadden we namelijk kaarten voor de ABBA-musical in Stuttgart. We wilden naar *Mamma mia* en daarna bij oma blijven slapen. Dat doen we anders nooit, want Stuttgart ligt maar een kleine twee uur rijden van Freiburg en Tino slaapt liever in zijn eigen bed. In de zomer zou het net even anders zijn, en oma en ik keken er allebei erg naar uit. Daar komt nu niets meer van. Ik mag zes weken naar de kliniek en waarschijnlijk heb ik ze wel nodig ook. Zes weken klinkt onvoorstelbaar lang, maar er is zo veel onvoorstelbaar. Overigens heb ik nog steeds geen uitslag van de gentest.

Oma was duidelijk teleurgesteld dat we deze zomer niet komen. Ik wil het natuurlijk inhalen, maar oma twijfelt of dat nog zal gebeuren. Ze is tweeëntachtig, heeft darmkanker gehad en heeft nu borstkanker – het spreekt voor zich dat ze ervan uitgaat dat haar dagen geteld zijn. Ik vind het jammer, maar ik kan er nu niets aan veranderen. Bovendien wil ik er liever niet aan denken dat ze niet lang meer heeft. We geven de kaarten aan mijn oom en tante, zodat iemand er tenminste plezier van heeft.

De reacties van vrienden en collega's waren verrassend. Velen van hen hadden helemaal niet gemerkt dat het zo slecht met me ging. Ik heb het natuurlijk ook geprobeerd te verbergen, maar anderzijds hoort het er blijkbaar bij dat je stress hebt en daarover klaagt. Anders doe je je baan eenvoudigweg niet goed! Volgens mij was het voor sommigen heel normaal dat ik voortdurend uitgeteld was, en mijn reactie daarop, een kuur volgen, vonden ze lichtelijk overdreven. Dat heeft niemand me in mijn gezicht gezegd, maar bepaalde onwillekeurige reacties, blikken of zeer verbaasde vragen deden me dat vermoeden. Maar goed, ik weet in elk geval dat het de juiste beslissing is geweest, ook al voel ik mij hier in de trein erg eenzaam. Een bekend gevoel.

Na Ulm begint het harder te regenen. Daar had ik niet op gerekend. In het weekend was het nog mooi weer, we hebben zelfs nog een uitstapje met vrienden naar de Vogezen gemaakt, waar juist de Tour de France langskwam. Gisteren stonden we nog op de Col de la Schlucht in de zon en raasde de bonte karavaan van de Tour aan ons voorbij. Nu is het hier grauw en troosteloos. Hoe verder we komen, hoe harder het regent. Eigenlijk giet het alsof het met emmers uit de hemel wordt gekieperd. Sommige weilanden staan onder water, het lijkt hier al langer flink te regenen.

We komen met een behoorlijke vertraging aan op het centraal station van München. Alleen met heel veel geluk kan ik mijn aansluiting halen. Dus: rugzak op, de tas met de fiets over mijn schouder hangen en rennen maar! Buiten heerst de normale drukte van een station in een miljoenenstad. Ik loop zo snel mogelijk naar het uiteinde van het perron en kijk op het grote aankondigingenbord. Shit, de regionale trein vertrekt vanaf een spoor buiten het station. Misschien toch maar even een bagagewagentje pakken en weer verder. Als een razende slinger ik door de hal, slalom door de mensenmassa en hup, de hoek om – waar ik mijn trein nog net zie wegrijden.

Die heeft duidelijk niet op mij gewacht. Niet zo best. Ik haal mijn mobiel tevoorschijn en laat de kliniek weten dat ik niet op het geplande tijdstip aankom. Ik heb de afhaaldienst dus pas een uur later nodig. Ik weet eerlijk gezegd niet hoe ze in Schönau op mijn fiets zullen reageren. Daar maak ik me nu al wat zorgen om, maar ik wilde het ook niet van tevoren vragen, want misschien hadden ze het dan wel verboden. Daarom vind ik het des te vervelender om al meteen met een vertraging te beginnen.

Over een uur gaat de trein weer. Ik gun mezelf een latte macchiato, die bijzonder goed smaakt. Verder rijd ik wat rond door het station met mijn bagagewagentje, tot het weer tijd wordt. Tot mijn verrassing zal deze trein niet tot Berchtesgaden rijden, lees ik op het aankondigingenbord. Waarom niet? Ik kijk zoekend om me heen, maar er is in de verste verte geen treinpersoneel te zien. Volgens een andere reiziger moeten we toch instappen. 'Tot Bad Reichenhall komen we in elk geval.' En hoe gaat het dan verder?

Terwijl we in de trein zitten, sijpelt er langzaam nieuwe informatie door. Er zijn overstromingen, het traject tussen Reichenhall en Berchtesgaden ligt onder water. Daar kan ik me wel iets bij voorstellen. Ik weet alleen niet hoe ik vandaar bij de kliniek moet komen. Ik bel dus nog maar een keer en geef de nieuwste stand van zaken door. Ondertussen wordt het steeds drukker in de trein, de luchtvochtigheid in de coupé is extreem hoog en de stemming licht geprikkeld. We hadden allang moeten vertrekken en uiteindelijk verlaten we München met flink wat vertraging. Ik moet toegeven: het ziet er overal erg nat uit. We stoppen steeds, ook in het open veld, en halen zo niet bepaald tijd in. Het gonst van de geruchten en naast de gewone mededelingen verspreiden ook reizigers nieuws over de toestand van de spoorlijnen en wegen. Ik voel me tamelijk verloren. Ik ken deze omgeving niet echt en ik kan niet zeggen of het voor mij belangrijk is als een of andere weg tussen dinges en dinges is afgesloten. Misschien helpt muziek, denk ik, en ik haal mijn discman tevoorschijn. De muziek mag niet te depressief zijn, maar vrolijke muziek zou ook misplaatst zijn, daarvoor voel ik mij te leeg. Ik kies Bruce Springsteen en zo verdrijf ik de tijd, terwijl we verder door de regen naar het oosten tuffen.

Uiteindelijk komt Bad Reichenhall in zicht en inderdaad is dit het eindstation. Voor de reizigers in de richting van Berchtesgaden hebben de spoorwegen bussen geregeld. We komen het station uit en zien dat er precies twee bussen zijn, waar nu een stormloop op ontstaat. Ik loop er, zwaar bepakt met rugzak en fiets, middenin. Niemand weet of er later nog meer bussen komen. Dat maakt de stemming er natuurlijk niet beter op. Ik moet proberen een plek te bemachtigen en dat lukt me ook. Ik beland op een stoel tussen een klas die op schoolkamp gaat. Erg toepasselijk, denk ik. Mijn bagage heb ik naast me gezet. De kinderen vinden dat allemaal nogal lollig, wat mij wat afleiding geeft. Ze zijn nieuwsgierig naar die enorme tas.

'Wat zit daar in?'

'Een fiets.'

Dat geloven ze niet en ze denken dat ik ze voor de gek houd.

Ik trek de rits wat open en laat ze in de tas kijken. Ze zijn overtuigd.

'Kom je hier om te fietsen?' wil een bijzonder nieuwsgierige jongen weten.

Tja, dat kun je eigenlijk niet zeggen, maar wat moet ik dan zeggen? Ik kies voor de halve waarheid. 'Niet alleen om te fietsen.'

Als ze eens wisten dat ik eigenlijk nu van een schoolkamp had moeten terugkomen. Ik vraag vervolgens naar hun reisje. Ze hebben helemaal geen zin in de bergen. Grappig, ik ga er vrijwillig heen, ik reis er zelfs het halve land voor door. Dat probeer ik althans.

Het is behoorlijk benauwd hier binnen, het is warm en ruikt muf door de klamme kleren en bezwete mensen. Door de beslagen vensters zie ik maar vaag dat de beken buiten hun oevers zijn getreden. Af en toe zien we het spoor, dat grotendeels evenwijdig aan de weg loopt. Hier en daar zijn de rails inderdaad overstroomd. Maar goed, de toestand van de weg is ook niet bepaald geruststellend. Bovendien regent het gestaag verder.

We bereiken Berchtesgaden. Even is het kleine station bomvol met lawaaierige kinderen en gestreste reizigers. Ik wurm me naar buiten. Ook daar heerst chaos. Hoteltaxi's halen gasten op, sommige reizigers nemen een taxi, de schoolklas neemt nog een andere bus. Als de ergste drukte voorbij is, zie ik nog steeds in de verste verte geen auto met het opschrift van de kliniek. Mijn exacte aankomsttijd kunnen ze ook niet weten, denk ik.

Ik wacht.

En wacht.

Na nog een kwartier denk ik: Misschien moet ik toch nog een keer bellen? Of gewoon een taxi nemen? Maar als er dan speciaal iemand hierheen komt en ik ben al weg?

Ik wacht nog een tijdje.

Na een tijdje bel ik toch en ik krijg te horen dat er een auto onderweg is. Mooi.

Na nog twintig minuten begrijp ik het echt niet meer. De kliniek ligt naar mijn weten hoogstens 4 of 5 kilometer verderop. Zolang kan dat niet duren! Dus bel ik nog maar eens, voor mijn gevoel voor de honderdste keer.

'Kliniek Schönau, goedemiddag.'

'Hallo, weer met Evelyn Heeg.'

'O, mevrouw Heeg, mijn collega heeft u in Reichenhall niet gezien en is toen vertrokken met de andere patiënten.'

In Reichenhall, ja natuurlijk, toen deed ik mee aan de massasprint op de twee bussen.

'Ik sta nu in Berchtesgaden. Dan hebben we elkaar verkeerd begrepen...' Geen probleem, ik moet gewoon een taxi nemen en een bonnetje vragen.

Ik hang op. Ongelooflijk, de vrouw aan de telefoon was nog steeds vriendelijk, ondanks deze neverending story.

De taxistand van station Berchtesgaden is net leeg, maar dat hoeft geen probleem te zijn. Het telefoonnummer staat in vette letters op de muur, ik bel gewoon op. Nog geen vijf minuten later staat er een taxi, de chauffeur legt mijn grote fietstas zonder morren in de auto, alles gaat uiterst soepel. Ik laat me in de leren stoel zakken en haal diep adem. Nu alleen nog inchecken.

De kliniek ligt op een heuveltje, midden in het plaatsje Schönau am Königssee. Het grote gebouw is niet mooi, maar komt licht en vriendelijk over. Vooral de afdeling voor particulier verzekerde patiënten is aardig ingericht, bij de balkondeur staat een mooie hoge fauteuil en het raam kijkt uit over de weilanden in de richting van een kleine bergketen, die om zijn vorm 'slapende heks' wordt genoemd. Voorlopig kan ik er niet echt van genieten, want ik laat me hier in mijn nieuwe onderkomen eerst op mijn bed vallen; ik ben doodop. Eigenlijk moet ik meteen naar het avondeten, zo zei de vrouw aan de receptie me, maar na alle stress is dat wel het laatste waar ik nu zin in heb. Ik wil even rust! Na een kwartier kom ik overeind en ga naar beneden naar de eetzaal, die bijna dichtgaat. Het eten is een aangename verrassing: er is gegratineerde camembert met rode bosbessen, dat heb ik in eeuwen niet meer gegeten. Ik zit met drie vrouwen aan tafel. Het commentaar op het eten is het gebruikelijke vrouwengeklets: alles is veel te vet. Ik zeg niets, maar geniet van mijn maaltijd.

Onder het eten kijk ik wat beter naar mijn tafelgenoten en begin me af te vragen of ze patiënten zijn of hier werken. Voor patiënten zijn ze echt jong. Een van de dingen waar ik bang voor was, is dat ik in een zo'n kliniek absoluut de jongste zou zijn. Uit de gesprekken maak ik ten slotte op dat het patiënten moeten zijn. Bovendien zijn ze vrolijk. Maar wat had ik dan verwacht? Ten eerste zijn hier ook nog andere afdelingen dan de psychosomatische en ten tweede mag toch ook een psychosomatische patiënt wel vrolijk zijn, of niet soms? Nou ja, ik ben natuurlijk hier omdat het lachen mij aardig is vergaan.

Na het eten ga ik op weg naar de receptie, waar ik mijn fiets had neergezet. Ik word aangesproken door een jonge vrouw. 'Hallo, ik ben Sina. Ik ben hier al vijf weken en ik ben jouw maatje. Ik laat je het gebouw even zien en als je vragen hebt, dan kun je bij mij terecht.'

Nu begrijp ik wat die onbekende naam betekende op mijn opnameformulier.

'Wil je eerst uitpakken en spreken we over een halfuur af?'

'Ja, dat klinkt goed,' zeg ik, want ik moet nog voor de fiets zorgen.

'Zien we elkaar weer op deze plek?'

Aan de receptie hoor ik dat er zowaar een fietsenkelder is. Als ik er meteen naar gevraagd had, had ik me dus niet zo druk hoeven maken. Sina laat me later het gebouw zien en legt me alles uit. Ze is erg aardig en doet haar best voor me. Na de ontmoeting met mijn maatje probeer ik mijn kamer zo gezellig mogelijk in te richten. Ik leg alle kleren in de kast, de grote tas met mijn overige spullen wordt morgen door de spoorwegen gebracht. Als ik klaar ben, is het nog vrij vroeg in de avond, maar ik ben weer heel moe. Ik heb ook het gevoel dat het me te veel is om zo vriendelijk en zorgzaam te worden ontvangen. Als kind was ik alle geborgenheid na de dood van mijn moeder kwijt. Vanaf dat moment moest en wilde ik zelf mijn kleine zusje iets van geborgenheid geven. Sindsdien kan ik zoveel vriendelijkheid maar moeilijk aannemen, uit angst dat het te veel pijn zou kunnen doen. Hier kom ik er niet onderuit dat mensen proberen me op mijn gemak te stellen en het brengt me volledig van mijn stuk.

Zo alleen in mijn kamer voel ik me opeens gruwelijk ellendig. Ik voel me helemaal leeg en verdrietig. Een telefoontje naar Tino maakt het alleen maar erger. Volledig uitgeput val ik vroeg in slaap. Ik slaap in elk geval! Dat was in Freiburg lang niet zo vanzelfsprekend.

U WEET TOCH WAT U WILT?

De volgende ochtend na het ontbijt vinden de eerste gesprekken met de artsen plaats. Waarom ik hier ben? Tja, goede vraag. Het gaat niet zo goed met me. Ik vertel mijn levensverhaal. Het is niet de eerste keer dat ik praat over de ziekte en dood van mijn moeder, de tijd daarna als oudste van drie kinderen, de verantwoordelijkheid, het vele werk, mijn angst voor een mogelijke erfelijke belasting. Toch is het voor het eerst dat ik me daarbij echt ellendig voel. Zo gehuild als bij dit gesprek heb ik, geloof ik, nog nooit. Het is erg uitputtend, maar ik krijg meteen een eerste les. Het is oké om hier te zijn, genoeg te hebben van de wereld, een time-out nodig te hebben. Terwijl de arts me dat duidelijk maakt, merk ik hoezeer ik van mezelf eiste en nog steeds eis probleemloos te functioneren.

Het gesprek heeft me nogal aangegrepen en zoals altijd in zulke situaties knap ik op van een wandeling. Tijdens mijn wandeling rond de kliniek zie ik voor het eerst het hele berglandschap om me heen zien. Het is erg indrukwekkend. De bergen laten me zelfs eventjes mijn verdriet vergeten. Ze stralen kracht en rust uit. De lunch is al vroeg, ik moet weer terug naar de kliniek en daarna staan er nog andere dingen op mijn programma. Dat programma is behoorlijk vol en doet me akelig veel aan een lesrooster denken. En dit is nog maar voor de eerste week! Ik heb gehoord dat er nog het een en ander bij komt. Ik heb al besloten me ertegen te verzetten dat mijn leven hier zo wordt gepland. Me van de ene afspraak naar de andere haasten: van de gedachte alleen al krijg ik stress. Na zulke aangrijpende gesprekken als dat van daarnet kan ik bovendien niet zomaar doorgaan.

De volgende dagen trekt het regenfront weg en het weer wordt echt mooi. Ik spring op mijn fiets en bekijk het Königsmeer, dat idyllisch tussen indrukwekkende rotswanden ligt. Zonder fietskaart kom ik met mijn mountainbike niet bijzonder ver. In tegenstelling tot thuis, waar je op bijna elk wandelpad ook met de fiets vooruitkomt, moet ik hier op de kaart de aangeduide mountainbikeroutes zoeken. De wandelpaden zijn eenvoudigweg te bergachtig om met de fiets te kunnen nemen. In mijn eentje routes zoeken voelt best vreemd.

Voordat ik gestrest raak van het fietsen op mijn oriëntatievermogen, ga ik op een bloeiende bergweide zitten en ik laat mijn gedachten de vrije loop. Het is net een komische film. Ik zit hier midden in het groen, weg van alle dagelijkse sleur, geconfronteerd met mijn eigen levensverhaal. Ik heb nu tijd voor verdriet, tijd voor afscheid nemen, tijd die ik nooit heb gehad. Na de dood van mijn moeder werd er bij ons gewoon niet over gepraat. Mijn vader heeft het allemaal zelf opgelost of gewoon verdrongen. Geen idee, in elk geval was voor de kinderen steeds het motto: gewoon doen of er niets is gebeurd. Maar natuurlijk is er iets gebeurd, iets onvoorstelbaars, wat we helemaal niet konden begrijpen.

Nu komt daar ook nog de angst bij dat het zich allemaal zou kunnen herhalen. Dat ik ook borstkanker kan krijgen. Nee, niet precies zo, ik heb geen kinderen en zal ze voorlopig ook niet krijgen. Dat vind ik momenteel niet verantwoord. Eerst wil ik zeker weten of ik al dan niet draagster van de mutatie ben. Als ik het gendefect zou dragen, zou ik een mastectomie kunnen ondergaan. Daarna zou ik kinderen kunnen krijgen. Ik zou ze geen borstvoeding kunnen geven, dat spreekt voor zich, maar dat is wel het minst erge. Moeders die hun kind de borst geven, zijn er wel weliswaar van overtuigd dat borstvoeding het enige juiste voor hun kind is – vooral in het alternatieve en groene Freiburg. Er zijn inderdaad studies die aantonen dat borstvoeding belangrijk is, bijvoorbeeld om allergieën te voorkomen. Maar afgezien van deze details blijft het nog maar de vraag of ik het risico wil lopen om het gendefect door te geven. Voor mijn moeder bestond die vraag nog niet. Ze wist er niets van, ze had geen idee van een erfelijke belasting, maar ik kan het niet negeren.

Ik geniet van de warme zon en uiteindelijk pak ik mijn fiets om terug naar de kliniek te rijden. Langzaam begin ik te begrijpen dat daar zich nu mijn leven afspeelt.

Na twee weken ben ik het dagelijkse leven in de kliniek gewend. Ik heb een goede balans gevonden tussen de uiteenlopende soorten therapie, vrije tijd om te gaan wandelen of fietsen, en inspirerende gesprekken met medepatiënten. De eerste veertien dagen zijn echt snel voorbij gegaan; dat had ik van tevoren niet gedacht. Jammer dat het weer deze zomer niet meezit. Na de korte periode met mooi weer is het nu koel en het regent steeds. Dan verdwijnen de bergen in de grijze wolken en ziet zelfs het sappige groen van de weiden er slap uit. Verrassend genoeg stemt het weer me niet somber, hoewel ik toch een uitgesproken zon- en warmtemens ben. Op trieste dagen in Freiburg was het gevoel van leegte sterker. Dat gevoel heb ik hier in Schönau niet meer. Als het er toch is, voel ik me hier verdrietig, maar dan weet ik tenminste ook waarom. Het is niet meer zo ondefinieerbaar, zoals de afgelopen maanden. Ik begrijp nu al meer en het voelt goed om te weten waar die leegte vandaan komt. Veel te lang heb ik alles genegeerd. Ik zie nu bovendien ook in dat het zeker niet anders kon gaan. Ik moest mijn verdriet als jong meisje wel verdringen om verder te kunnen.

Nu is er echter ruimte om iets te veranderen. Ik breng hier veel tijd in mijn eentje door en toch voel ik me niet meer zo alleen. Het doet me erg goed dat dit oneindige gevoel van eenzaamheid eindelijk lijkt te verdwijnen!

Op een middag word ik uit mijn vertrouwde therapiesleur weggerukt. Er ligt een brief in mijn briefvakje op de benedenverdieping van de kliniek. Ik draai de envelop in mijn handen, hij is van de hogere onderwijsdienst, mijn werkgever. Wat willen die nu? Terwijl ik de trap op loop, lees ik de brief en ik struikel van verbazing haast over mijn eigen voeten. Mijn aanvraag tot overplaatsing is toch goedgekeurd! Ik kom op een school die een stuk dichter bij Freiburg ligt. Wacht even, mijn aanvraag was toch al afgewezen? Dat heb ik al bijna drie maanden geleden te horen gekregen. Natuurlijk was ik daar ook van uitgegaan en bovendien ging het toen veel slechter met me, daarom heb ik me amper druk gemaakt om de afwijzing. Ik laat me in mijn kamer op bed vallen en lees de brief nog eens goed door. Als ik het eens ben met de overplaatsing, zo staat in de brief, moet ik het formulier ondertekend terugsturen. Wat is dit? Ik denk erover na en ik concludeer al snel dat mijn rector erg zijn best voor me moet hebben gedaan. Dat kan niet anders. Dit is toch ongelooflijk: ik val plotseling uit op school, hij heeft alleen maar narigheid van mij en toch helpt hij me bij de overplaatsing. Het is te mooi om waar te zijn.

'Snap jij dat nou?'

Ik heb Tino aan de lijn.

'Nee, niet echt... maar het is wel fantastisch!'

Natuurlijk vind ik het prima! Ik neem me voor om binnenkort de rector op te bellen en te vragen hoe hij dit voor elkaar heeft gekregen. In elk geval is het overweldigend. Jeetje, er schieten meteen duizenden gedachten door mijn hoofd. Dan moet ik op de nieuwe school direct vertellen dat ik geen idee heb wanneer ik weer aan het werk kan. Ik ben na de zomervakantie wel weer thuis, maar hoe zit het met de gentestuitslag?

Als ik positief ben en geopereerd moet worden, kan ik dat toch het best meteen doen? Maar wil ik wel een operatie? Daar zijn ze weer, altijd dezelfde vragen. Ik zwabber tussen vastberadenheid en twijfel. Eerst maar eens mijn gedachten op een rijtje zetten en dat gaat het best op de fiets. Op weg naar buiten kom ik een medepatiënt tegen, een man van middelbare leeftijd die als taxichauffeur werkt. Met hem heb ik het bij verschillende groepstherapiesessies aan de stok gehad. Hij heeft een uitgesproken aversie tegen ambtenaren en ik heb een paar keer de volle laag gekregen. Tot mijn verbazing spreekt hij me aan. 'Hallo, Evelyn, wat is er aan de hand? Je ziet er zo gelukkig uit.'

'Ja, dat ben ik eigenlijk ook. Alleen kan ik het allemaal nog niet kan bevatten.'

Ik vertel hem over mijn eerst afgewezen en nu toch toegewezen overplaatsing. Hij is er zichtbaar van onder de indruk hoe ingewikkeld sommige dingen ook voor ambtenaren kunnen zijn. Bovendien is hij oprecht blij voor me. Dat is echt fijn en ik krijg de indruk dat we allebei opgelucht zijn. Door dit korte gesprekje en zijn meelevende reactie hebben we die idiote muur tussen ons kunnen neerhalen. Ik had er niet echt last van, maar zonder is toch prettiger. Geëmotioneerd fiets ik door het idyllische rivierdal in de richting van Ramsau. Als ik in een weide een oude boomstronk zie, houd ik pauze en probeer ik mijn gedachten te ordenen.

De overplaatsing is enkele dagen later ook het onderwerp van het volgende gesprek met de hoofdarts. Elke week kom ik bij haar voor een kort gesprek. Van deze weinige minuten profiteer ik het meest. Alles wat ze zegt, slaat ergens op – ook al zijn het soms pijnlijke zaken waarmee ze me confronteert. Maar daarom ben ik ook hier: om de dingen niet meer te ontvluchten of te verdringen. Als we het over de overplaatsing hebben, zeg ik dat ik nog steeds niet weet wat ik de nieuwe school over mijn mogelijke terugkeer moet zeggen. Het hangt immers af van de uitslag van de gentest. Ik begin weer met mijn mitsen en maren, terwijl de arts me rustig aankijkt. Als ik klaar ben, zegt ze: 'Mevrouw Heeg, u weet precies wat u wilt. Waarom laat u zich altijd zo onzeker maken?'

Wow, dat is wel heel direct.

Ik moet even slikken en dan toegeven dat ze helemaal gelijk heeft. Bij een positieve uitslag wil ik een mastectomie met reconstructie, hoe dan ook. Het is me heel duidelijk, het is een schokkende gewaarwording, maar het lucht ook op.

We bespreken wat me steeds weer aan het twijfelen brengt. Of beter gezegd, wat me het idee geeft dat er nog twijfels bestaan. Ik vertel haar over de sociaal pedagoog die in de kliniek creatieve psychotherapie geeft. Hij heeft me een paar dagen geleden aan de hand van een door mij geschilderde voorstelling toch echt een 'kankerpersoonlijkheid' toegedicht. Ik moest alleen de woekerende kanten van mijn persoonlijkheid veranderen en dan had ik ook geen kans op kanker meer. Dat raakte me op dat moment niet echt, maar toen ik het Tino vertelde, wond hij zich behoorlijk op. Toen realiseerde ik me ook pas wat deze uitspraak eigenlijk insinueerde: in feite was het gewoon mijn eigen schuld als bij mij kanker zou ontstaan. Dat gaat natuurlijk veel te ver, juist van een begeleider in zo'n kliniek. Bovendien was het klinkklare onzin. Een 'kankerpersoonlijkheid' bestaat niet. Punt uit.

Dat vindt ook de hoofdarts en ze is helemaal niet blij om zulke dingen over haar collega's te horen. Ik vertel haar echter ook hoe geschokt en afwijzend sommige mensen reageren op mijn plan om mijn borsten preventief te laten afzetten. De gebruikelijke reactie is: 'Wil je dat echt doen?' Ja, ik wil het doen! De hoofdarts heeft weer eens gelijk als ze me duidelijk maakt dat niet iedereen me hoeft te begrijpen. Zolang ik de beslissing weloverwogen heb genomen, is het in orde. Ik merk dat de dingen helder worden, gemakkelijker en duidelijker.

Met een oprecht goed gevoel verlaat ik haar kamer. Mijn aanpak staat nu vast. Ik zal de nieuwe school opbellen en open kaart spelen. Het is natuurlijk idioot als een schooldirectie niet weet welke leerkrachten ze het volgende jaar tot hun beschikking hebben. Een paar weken voor een nieuwe klas staan en dan meteen voor langere tijd uitvallen is ook niks. Ik hoop nog steeds dat ik binnenkort meer weet, en bovendien is er altijd nog een kans van 50 procent dat ik het gendefect *niet* van mijn moeder heb geërfd, dat ik negatief ben. Dat vergeet ik voortdurend.

De volgende middag vind ik na de fysiotherapie een bos bloemen op mijn kamer. Ik lees het bijgevoegde kaartje. Oma heeft aan me gedacht. Wat lief, dat vind ik echt ontzettend leuk. Ik moet haar meteen bellen!

Mijn hoop snel informatie te krijgen over de uitslag wordt de volgende middag in één klap de grond in geboord. Ik krijg telefoon uit Keulen. Het bloed van oma is niet meer te gebruiken. Het DNA is te fragmentarisch, misschien is het verkeerd opgeslagen. Dat menen ze toch niet! Hoe moet ik nu vanuit Opper-Beieren nieuw bloed van oma krijgen? Ze volgt trouwens zelf een kuur, in Isny in de Allgäu. Ik kan wel janken, maar dat helpt niets, ik moet oma bellen. Ze vertelt me eerst dat het helemaal niet goed met haar gaat, omdat ze een maag-darmvirus heeft. Gelukkig is de arts in de kliniek erg aardig. Ik spits mijn oren, een arts ter plekke, wat handig! Ik laat oma haar hart verder uitstorten. Het is ook vervelend, want ze heeft zich zo op deze dagen verheugd. Thuis heeft ze altijd een druk programma, met bestraling van de borstkanker, lymfedrainage wegens haar gezwollen arm, enzovoort. Ik begrijp heel goed dat ze ook wel eens vakantie wil. Die wordt haar echter niet gegund en nu moet ik ook nog eens haar pret bederven. Eindelijk is ze klaar met haar verhaal. 'En hoe gaat het met jou?'

Ik haal diep adem. 'Heel goed, maar ik heb een probleem. Het ziekenhuis van Keulen, dat de gentest heeft uitgevoerd, heeft gebeld. Ze hebben nog eens bloed van je nodig.'

'Kind, hoe moet ik dat doen? Dat gaat niet. Ik ben helemaal niet thuis. En ik heb toch ook vakantie nodig. Nee, dat gaat nu niet, al zou ik het willen.'

Nu komt mijn troef. 'Oma, je moet toch nog een keer naar de dokter daar? Ik schrijf hem een brief waar alles in staat. Jij hoeft je nergens om te bekommeren.'

'Ik moet er morgen al heen. Een brief duurt dagen.'

Dat klopt. Ik denk snel na.

'Ik kan de brief naar de kliniek faxen! Dan heeft hij hem morgenochtend.'

'Ik weet geen faxnummer, hoor.'

'Dat geeft helemaal niet. Daar zorg ik voor. Je gaat morgenvroeg gewoon naar de dokter.'

'Als je echt denkt... Ik ga er morgen heen en misschien kan hij je wel helpen.'

'Ja, meer hoef je niet te doen. Dank je wel, oma.'

'Het is al goed, ik kan anders toch niet veel voor je doen.'

O jee, wat heb ik nu gezegd over die fax en zo. Hoe moet ik dat voor elkaar krijgen? Zal ik Tino bellen? Nee, eigenlijk heb ik hier alles wat ik nodig heb. Er zijn beneden meerdere computers met internet beschikbaar voor de patiënten en ik heb de naam van de kliniek waar oma verblijft. Ik zal een faxbericht opstellen en aan de receptie vragen of ze het voor me versturen.

Zal het allemaal lukken? Ik heb zo mijn twijfels. In elk geval kan ik er niet lang over nadenken, want ik moet zelf eerst weer naar therapie.

Meteen daarna duik ik achter een computer en schrijf de fax. Het faxnummer van oma's kliniek is zo op internet gevonden. Zo, een exemplaar uitprinten en naar de receptie ermee. Eens kijken wat er gebeurt. Zal oma me morgen bellen? Misschien verwacht ze dat ik haar bel. Daar is het weer: dat zenuwslopende wachten.

De volgende middag gaat de telefoon en ik krijg een opgewekte oma aan de lijn. De arts heeft haar bloed afgenomen en regelt het transport, vertelt ze me. Overigens vond hij het geweldig en erg moedig wat ik doe. Hij heeft haar helemaal uitgehoord over haar kleindochter. Ik kan horen dat oma trots op me is. Wat een verrassing, daar had ik nu werkelijk niet op gerekend. Toch fijn, nu heb ik zelfs oma voor me gewonnen.

De eerste weekenden heb ik in Schönau alleen doorgebracht. Het is hier weliswaar niet verplicht, maar het liep nu eenmaal zo en ik vond het wel prima zo. Het was inderdaad goed voor me. Tino heeft er duidelijk meer onder geleden. Dat kwam vooral doordat ik tijdens onze telefoongesprekken steeds vertelde wat ik in mijn therapiegesprekken heb besproken en daardoor ook veel moest huilen. Hij heeft me dus vooral meegemaakt als ik van de kaart was. Toch was ik natuurlijk niet de hele dag van streek. Integendeel, eigenlijk wist ik steeds dat alles een plek heeft, dat ik hier kan loslaten en dat dit enorm belangrijk voor me is. Alleen moet dat op hem wat anders zijn overgekomen. Bovendien bleef hij alleen thuis achter en maakte hij zich zorgen om me. Hij had het erg moeilijk met deze situatie, maar hij zag ook wel in dat er iets moest gebeuren.

Na de eerste twee weken is Tino met een vriend een paar dagen gaan kanoën. Dat heeft hem bijzonder goed gedaan en na een lange, vermoeiende periode kon hij even bijkomen. Dat had hij echt nodig. Nu zijn er bijna vier weken voorbij en komend weekend komt hij op bezoek. Ik kijk ernaar uit om hem te zien, maar ik ben ook een beetje bang. Zullen we elkaar na vier weken meteen weer zo goed begrijpen? Naar mijn idee ben ik de afgelopen tijd al veranderd. We hebben veel over de telefoon besproken, maar hoe zal het zijn als we elkaar weer zien? Daarnaast zijn er nog wat organisatorische probleempjes. De kliniek vraagt een vermogen voor een opklapbed in mijn kamer. Voor dat geld zouden we gemakkelijk in een viersterrenhotel kunnen slapen. Tino heeft wel genoeg opdrachten, maar we zwemmen echt niet in het geld. Bovendien weten we ook nog niet wie de mastectomie gaat betalen, als het zover komt. Voorlopig weten we alleen dat de zorgverzekering in principe geen preventieve operaties vergoedt. We bespreken het van tevoren over de telefoon.

'Denk je dat je in de herfst nog een paar opdrachten krijgt?'

'Normaal gesproken is er rond de boekenbeurs een vrij groot gat, maar ik hoop dat er in december nog wat gebeurt.'

'Tja, dat met die kamer hier is behoorlijk duur. Ze vragen meer dan 90 euro per nacht.'

'Dat is dan 270 euro voor het weekend!' Tino wil vrijdagavond komen en maandagochtend weer vertrekken. Met benzine erbij kost het hele weekend dan zeker 350 euro.

'Dat is 700 mark!' zegt Tino. We rekenen af en toe nog steeds om. 'Dat is wel een hele hoop geld!'

'Je zou ook in een goedkoop pension kunnen logeren; die heb je vanaf 30 euro per nacht.'

'Daar heb ik geen zin in,' zegt Tino.

Nee, eigenlijk wil ik dat ook niet. Het toch al korte weekend meteen apart van elkaar ontbijten, nee bedankt.

'En als ik nu eens op een matje in jouw kamer blijf slapen?'

'Zou dat mogen?'

'Dat merkt toch niemand.'

'Hm, als je 's ochtends voor het meten van de bloeddruk al verdwijnt...'

'Hoe ziet het gebouw eruit? Kan ik ontsnappen zonder langs de receptie te komen?'

Ik denk even na. 'Dat kan wel. Via het trappenhuis kom je meteen in de parkeergarage en vandaaruit kun je gewoon weer door de hoofdingang binnenlopen.'

'Fantastisch, dat doen we!'

Bovendien zijn er toch geen vaste bezoektijden. Trouwens, wie zou er belang bij hebben om ons te verlinken? Niemand toch? Ontbijten kunnen we dan weer samen, want bij de receptie kun je muntjes voor de gasten kopen.

'Wanneer kom je precies?'

'Ik vertrek vrijdagochtend. Ik heb geen idee hoe lang ik erover doe, de routeplanner zegt ongeveer zeven uur.'

Vrijdagmiddag is hij er. Ik sta in de hal als hij binnenkomt. Hij ziet er behoorlijk moe uit. Al met al was het toch iets meer dan zeven uur rijden. We begroeten elkaar, maar het voelt niet helemaal vertrouwd. Ik kan hem niet echt in de armen vliegen. Gisterenavond hebben we aan de telefoon geruzied over iets onbenulligs en dat staat nog tussen ons in. We gaan even naar mijn kamer en besluiten dan de fiets te pakken. Misschien verdwijnt dat krampachtige dan. Ik kleed me om en dan gaan we naar de parkeergarage, waar onze oude Golf staat, volgeladen met Tino's fiets en zijn bagage. We wilden geen enorme tas naar mijn kamer slepen, dat zou misschien toch wat te opvallend zijn geweest. Tino kijkt even om zich heen, trekt vervolgens zijn kleren uit en daarna zijn fietsbroek en shirt aan. Ik haal ondertussen mijn mountainbike uit de wirwar van fietsen om de hoek. Nog snel het voorwiel in Tino's fiets monteren en we kunnen gaan.

'Zullen we over de Gotzenweide rijden?'

'Geen idee, ik ben hier niet bekend.'

De tocht is vrij kort en je hebt steeds prachtige vergezichten. Nadat we een eindje bergaf zijn gereden gaat het nu bergop, zoals altijd in de Alpen. In principe onmiddellijk loodrecht de berg op. Ik ben de afgelopen weken gewend geraakt aan deze beklimmingen en ik reed sowieso al graag bergop. Het terrein hier is voor mij nu al net zo gewoon als een willekeurige tocht thuis in het Zwarte Woud. Het komt helemaal niet in me op

123

dat Tino er moeite mee zou kunnen hebben, maar dat heeft hij wel. Hij loopt rood aan, hijgt en hij wordt steeds geïrriteerder. Door de lange autorit is hij onzettend stijf, afgelopen week heeft hem nog extra uitgeput en daardoor heeft hij nogal last van deze beklimming. Op een gegeven moment wordt hij echt boos.

'Heb je deze tocht soms expres uitgezocht om mij kapot te maken?' gaat hij tegen me tekeer.

Ik leg uit dat het hier altijd zo steil omhoog gaat en dat ik hem daarmee niet onnodig wilde kwellen.

Half mompelend gooit Tino er een paar verwensingen uit.

Vreemd genoeg klaart zijn slechte humeur door deze kleine uitbarsting op, Tino's bloedsomloop komt weer op gang en het gaat een stuk beter. We komen in eenzelfde ritme, dat we anders ook vinden als we in de bergen fietsen, deze flow, als alles niet echt gemakkelijk gaat, maar je hoofd langzaam leger wordt. De weg is eerst nog geasfalteerd en komt dan uit op een brede grindweg. Fietstechnisch gezien is het niet moeilijk. Nu doorkruisen we een weide om vervolgens langs een paar supersteile bochten naar boven te puffen. Nu is alles werkelijk één, onze adem, ons zweet, het landschap om ons heen. Boven worden we getrakteerd op een uitzicht op een licht golvende hoogvlakte. Koeien, een berghut en daarachter het machtige Watzmann-massief in roodachtig avondlicht. Fantastisch! Het was de moeite waard, ook al noemt Tino de route vanaf nu de 'kotsbergweide'.

We staan er sprakeloos, we merken hoe onze adem langzaam rustiger wordt en genieten van het uitzicht, de weinige avondgeluiden op de bergweide, de geuren en de zomerlucht.

We gaan over een smal pad naar een ander uitzichtpunt, vanwaar je neerkijkt op het Königsmeer, dat honderden meter onder ons in de stilte ligt. Hier is alles steil. Daarna trekken we ons jack aan en storten ons via dezelfde weg omlaag in het dal.

Zaterdagochtend is het duidelijk dat het weerbericht klopt: het regent weer pijpenstelen. Tino heeft op zijn matje op de grond geslapen; de tweede helft van de nacht althans, toen het echt te krap werd op negentig centimeter. Een rondje hardlopen zit er nog wel in, maar verder willen we niet sporten. Na het ontbijt besluiten we wat door Berchtesgaden te slenteren en daarna in het plaatselijke thermaalbad de sauna onveilig te maken. Het is amper veertien graden. 'Dat is in Finland misschien hoogzomer,' bromt Tino.

'Dan is de sauna toch een uitkomst,' vind ik.

Ook de zondag verloopt rustig, want het weer verandert niet. Regen, regen en nog eens regen. Wel jammer, tenslotte zijn we omringd door indrukwekkende bergen, in een van de mooiste delen van Duitsland. Daar heeft Tino vrijdag al een kleine indruk van gekregen. Maar goed, we genieten toch van de zondag en 's maandags na het ontbijt gaat hij weer terug, terwijl ik weer aan mijn therapieprogramma begin. Ik breng hem naar de auto, maar het afscheid is minder erg dan verwacht. Ergens is het wel goed om hier te zijn. Al blijft het moeilijk om steeds zo met jezelf te worden geconfronteerd.

MET REUZENSPRONGEN VOORUIT

Augustus 2005

Vandaag gaat het na een individueel gesprek echt slecht. Er komen zoveel herinneringen aan mijn moeder naar boven. Ik herinner me dat we mijn vader vaak van zijn werk ophaalden. Soms gingen we te voet naar het station, soms met de auto. Een keer veroorzaakte mijn moeder prompt een botsinkje. Ze was toch al geen getalenteerde chauffeur. Een van haar hobby's was de tank tot op de laatste druppel benzine leeg rijden. Ze ging daar erg ver in en natuurlijk liep dat ook wel eens verkeerd af. Dan bleven we gewoon stilstaan. Dan konden we te voet op zoek naar een tankstation.

Op een middag kwam ze veel te laat van school thuis. Ik wachtte vol ongeduld samen met mijn broertje en zusje op het middageten. Ik had een slecht voorgevoel. Er was vast iets gebeurd. Inderdaad had ze toen een aanrijding, al was het de schuld van de ander, die bij het verlaten van de parkeerplaats haar auto vol in de zijkant raakte. Kort daarna werden de eerste knobbels uit haar borst en lymfeklieren verwijderd. Later heb ik eens iemand horen zeggen dat het ongeluk het ziekteverloop heeft versneld omdat de veiligheidsgordel bij mijn moeder precies over de plek van de nog niet ontdekte tumor liep. Ik heb geen idee of dat waar is. Maar dat heb ik als jong meisje wel opgevangen.

Shit, ik mis haar gewoon. Ik heb het gevoel dat ik word verscheurd door verdriet, dat ik het niet uithoud.

Ik weet dat Corinna in de vakantie bijna altijd bereikbaar is. We hebben de afgelopen weken vaak met elkaar gebeld. Toch ging het nooit zo ellendig met me als nu. Haar kan ik in elk geval ook in deze toestand opbellen. Ik wil Tino niet weer lastigvallen. Hij luistert wel altijd geduldig, maar de situatie is ook voor hem allesbehalve gemakkelijk. Uiteindelijk pak ik de telefoon en bel haar op.

'Wat is er, Evelyn?'

Ik kan minutenlang niets anders doen dan snikken. Dan kom ik wat tot bedaren en ik probeer haar te vertellen over mijn ongekend grote verdriet om mijn overleden moeder.

'Het doet zo'n pijn,' zeg ik, 'ik weet niet waar dat al die jaren is geweest.' Ik merk dat het me goed doet om met haar te praten.

Als ik weer gekalmeerd ben, zegt Corinna aarzelend: 'Ik wil niet vervelend doen, maar ik geloof niet dat het echt zinvol is wat je nu aan het doen bent.'

Ik sta paf. Corinna schijnt mijn zwijgen als instemming op te vatten. In elk geval gaat ze met vastere stem verder: 'In die kliniek maken ze alles nog veel erger. Dat kan toch niet goed zijn?'

Vroeger zou ik waarschijnlijk mijn mond hebben gehouden, maar nu zeg ik plotseling: 'Wat heb ik dan voor alternatief? Moet ik de rest van mijn leven last van slaapstoornissen hebben?'

'Dat bedoel ik niet. Maar zo is het toch nog veel erger.'

'Natuurlijk gaat het nu niet goed met me.' Ik moet slikken omdat ik merk dat er weer tranen opwellen. 'Maar dat is juist goed: ik kan nu echt huilen, maar ik kan ook weer echt lachen. Dat heb ik al jaren niet meer gedaan. Ik slaap beter, ik kan ook af en toe tijd en ruimte vergeten. Dat zijn reuzensprongen vooruit, ook al was ik nu net verdrietig.'

'Maar het gaat zo vaak *niet* goed met je. Hoe moet dat nu verder?'

'Als ik mocht kiezen: terug naar hoe het was of zoals het nu is, zou ik nooit meer terug willen. Als het hier slecht gaat, weet ik in elk geval waarom. De leegte is gevuld.'

Corinna is niet overtuigd. 'Je moet het zelf weten.'

Na een korte pauze vraag ik nog hoe het met haar gaat, maar ze antwoordt ontwijkend. Uiteindelijk hangen we op.

De opmerking van Corinna houdt me nog lang bezig: 'In die kliniek maken ze alles alleen maar erger.' Blijkbaar is het moeilijk te begrijpen dat het verdriet om mijn moeder er nooit uit is gekomen en dat ik dat nu juist moet inhalen. Ik heb ook niet het idee dat ik een keuze heb. Meer dan tien jaar lang heb ik alles verdrongen, omdat het er niet mocht zijn, omdat er geen plek voor was en omdat ik als jong meisje gewoon niet wist hoe je met zulke gevoelens kunt leven. Corinna kan me echter op de weg die ik hier afleg niet steunen. Toch heb ik haar vaak aan de telefoon verteld dat het veel beter met me gaat, dat ik in Schönau weer echt kan lachen, dat ik veel scherper ben, dat ik kan slapen.

Merkt ze dat helemaal niet? Het afgelopen jaar was mijn levensvreugde tot een absoluut minimum gedaald. Zo wil ik beslist niet verder leven. Maar dat weet Corinna allemaal. Uit wat ze me vertelt, leid ik af dat het met haar op zijn minst niet veel beter gaat. Ik zie in dat dat nu net het punt is. We bevinden ons in vergelijkbare situaties, maar zij kiest een volledig andere manier om ermee om te gaan. Ze wil zich helemaal niet bezighouden met wat haar beklemt, welke gebeurtenissen haar belasten. In plaats daarvan wordt ze zwanger. Geen wonder dus dat we beiden onze eigen aanpak als kritiek op de ander opvatten.

Het is een feestdag in Beieren: 15 augustus, Maria-Hemelvaart. In Baden-Württemberg is deze katholieke feestdag gelukkig geen vrije dag meer. Niet dat ik graag wil werken (rond die tijd is het toch altijd zomervakantie), maar het is de verjaardag van mijn moeder. Die kan ik beter negeren als het een heel normale dag is, business as usual. Eigenlijk heb ik de enigszins twijfelachtige gave dat ik nooit weet welke datum het is. De verjaardagskalender die ik van een vriendin gehad heb, is daarom ook geen grote steun.

Maar hier in het hartje van Beieren, in Schönau, in mijn kamer in de kliniek, waar alles volgens zondagsdienst verloopt, waar geen behandelingen en therapieën plaatsvinden en waar het verder ook niet bepaald bruisend is, kan ik er niet omheen dat dit voor mij een heel pijnlijke dag is. Toen mama nog leefde, kwam op deze dag altijd de hele familie op bezoek. Omdat mijn moeder vier broers en zussen had, en zij op hun beurt weer een hele hoop kinderen, was het altijd een groot feest. Meestal zat ook het weer mee, er waren lekkere, zelfgebakken taarten en er heerste een gezellige drukte.

Vandaag regent het pijpenstelen. Als de zon zou schijnen, zou ik natuurlijk veel kunnen doen op deze dag. Nu het regent, blijven eigenlijk alleen mijn vier muren in de kliniek over.

Na het ontbijt bel ik met Tino en ik houd hem wat van zijn werk. Mijn humeur is verrassend goed. Hij is wat achterdochtig.

'Wat ben je vandaag van plan?'

'Grapjas, ik hoef geen plannen te hebben. Als het zo blijft regenen, maak ik hier een tweede overstroming mee. Wat valt er te doen? Het enige wat ik zeker weet, is dat ik straks nog ga wandelen, hoe nat ik ook word.'

Dat stelt hem niet gerust. 'Kun je niet nog iets anders gaan doen?'

'Nee, het is wel goed zo. Als ik me echt verveel, kan ik altijd nog kijken wat de andere patiënten aan het doen zijn. Maar ik geloof dat het ook in mijn eentje wel gaat. In elk geval voel ik me prima.'

Ik ben verbaasd dat ik het gewoon kan loslaten. Het is de verjaardag van mijn moeder, het is verdrietig dat we die niet meer kunnen vieren en het is oké om verdrietig te zijn, maar ik raak niet volledig van streek. Mijn stemming is de afgelopen weken duidelijk veranderd. Ik weet nu immers waarom ik verdrietig ben. Daarom kan ik het ook toelaten en vervolgens loslaten, en in het hier en nu iets leuks gaan doen en genieten van de dingen – behalve misschien van het weer. Het ongelukkige gevoel is niet meer zo vaag. De nevel lost langzaam op. Natuurlijk doet het soms echt heel erg pijn en weet ik niet hoe ik het moet uithouden. Dat heb ik al die jaren beslist willen vermijden, maar dat zijn gevoelens die bij deze situatie horen. Onderhand weet ik gelukkig ook dat zulke momenten voorbij gaan en ik na de tijd met minder ballast rondloop. Ik strik mijn veters, want ik wil naar Berchtesgaden wandelen.

De volgende morgen is er weer post voor me. Het is een brief uit Keulen! De uitslag van oma's gentest, schiet er door mijn hoofd. Ik kan nauwelijks wachten om de brief te lezen. Ik probeer zo rustig mogelijk de envelop open te maken, maar ruk de brief er dan uit. De uitslag is er! 'Gelieve een afspraak te maken in Keulen,' staat er. Moet ik daarvoor nu werkelijk naar Keulen? Alsjeblieft niet. Ik sta hier toch ook onder medisch toezicht. Met de brief in de hand loop ik onmiddellijk naar de hoofdarts. Ik heb geluk, ze heeft geen afspraak en neemt de tijd voor me. We spreken af dat ze in Keulen informeert of ze me als waarnemend arts de uitslag mag meedelen. Hopelijk lukt dat. Morgen komt Tino en het zou fijn zijn als we dan een antwoord zouden hebben.

POSITIEF BERICHT

Het zijn de laatste kilometers met onze trouwe oude Golf. 130 kilometer staat er op de teller en tot afgelopen zomer stond hij er nog goed bij. Maar toen kwam er een fantastische winter met veel sneeuw in het Zwarte Woud en stonden we bijna elk weekend op de piste. Al dat strooizout op de wegen was helaas niet goed voor ons wagentje. Zelfs ik als leek zag die roestplekken duidelijk. Onze vaste monteur schudde in elk geval heftig met zijn grijze hoofd toen ik hem voorzichtig vroeg of we in de herfst nog zonder problemen door de apk-keuring zouden komen.

Er moest dus een nieuwe auto komen. Vooral tijdens de bijna acht uur durende rit naar Opper-Beieren waren de tekortkomingen van de VW duidelijk te merken. De schokdemper is naar de haaien, een wegligging als een drilpudding, een prehistorische radio (natuurlijk zonder cd-speler of zelfs cassettedeck!), want die kwam nog uit de eerste Golf van mijn ouders, waarna ze hem liefdevol in hun nieuwe Golf lieten monteren. Alleen de bagageruimte is nog altijd enorm groot voor een middenklassenauto. Tijdens onze gebruikelijke pinkstervakantie aan het Gardameer krijgen we naast de gigantische tent en de complete kampeeruitrusting gemakkelijk ook onze twee mountainbikes mee. Een echt wonder van ruimte dus.

We hadden het er al over gehad, ik keek wat rond op internet en ten slotte viel ons oog op een tweedehandse Peugeot 206 stationwagen. Na enig zoeken vond ik in Stuttgart een auto die onze portemonnee niet te veel zou belasten. Dat kwam me goed uit: tijdens mijn eerste bezoek in Opper-Beieren heb ik de auto bekeken, een korte proefrit gemaakt en een semivakkundige blik onder de motorkap geworpen, en nu wil ik hem kopen. Tijdens mijn volgende bezoek aan Evelyn kan ik mooi de auto's in Stuttgart omruilen. Natuurlijk had ik de Golf ook hier kunnen verkopen, maar ik zag het even niet zitten om dat allemaal te moeten regelen. Dat ik thuis het huishouden alleen moet runnen terwijl Evelyn in de kliniek zit, vind ik al meer dan genoeg. In de weekenden ben ik af en toe in Opper-Beieren en doordeweeks werk ik veel. Niet nog meer stress dus!

Alles is goed voorbereid en ik verheug me als een klein jongetje op de nieuwe auto. Dat leidt me ook mooi af van de andere, minder opbeurende zaken in ons leven. Het autobedrijf ligt in een industriegebied van Stuttgart, ik ken de weg nog zo ongeveer van mijn eerste bezoek, hier moet ik naar rechts, dan de straat met de tramrails, inderdaad... Mijn mobiel gaat rinkelt en ik zie Evelyns nummer. Hoewel het niet erg verstandig is, neem ik op terwijl ik rijd.

'Oma is positief!'

Evelyn huilt. Mijn eerste reactie is opluchting.

'Dat is toch goed?' werp ik tegen.

Evelyn is volledig van de kaart, wat ik niet helemaal kan begrijpen. Afgelopen zomer is me niet in de koude kleren gaan zitten. Ik moest het thuis alleen redden en tegelijkertijd ging het met Evelyn in de kliniek soms erg slecht. Natuurlijk hoop ik dat het uiteindelijk een stuk beter met haar gaat, maar garanties geven ze uiteraard niet. Met dat gevoel moet ik grotendeels alleen omgaan. Daarbij kwam ook nog het wachten op de gentest, wat ook op mijn zenuwen heeft gewerkt. Evelyn was op den duur bijna niet meer in staat om zich daar druk om te maken en daarom heb ik veel op mijn schouders genomen. Nog een geluk dat ik als zelfstandige mijn tijd zelf kan indelen.

We moeten langer en uitgebreider met elkaar praten. Daarvoor moet ik eerst de auto parkeren. Toch ben ik nu ook gewoon opgelucht dat de uitslag er is en zo uitvalt. Ik vind het eenvoudigweg fantastisch. Het lukt me nu niet om een langer gesprek met Evelyn te voeren en haar te troosten. Daarvoor zijn onze reacties te verschillend. Ik hang snel op en concentreer me weer op het verkeer.

De autodealer verwacht me al, we regelen een aantal zaken en voor mijn oude VW krijg ik het symbolische bedrag van 10 euro. Dat is niet zo mooi, maar anderzijds heb ik nu een probleem minder. De handelaar werpt een wat meewarige blik op de wagen, die nog steeds met de grove winterbanden rondrijdt, hoewel het hoog zomer is. Het overladen gaat snel, mijn mountainbike en reistas passen in de Peugeot. Dan zit ik weer op de weg, tanken en verder richting Opper-Beieren. Een van de eerste dingen die ik doe in de auto is een cd in de speler leggen en het volume flink hard zetten. Autorijden en naar muziek luisteren zijn voor mij twee onafscheidelijke dingen. Zo zijn er enkele momenten die in mijn herinnering staan gegrift. Toen ik na mijn eindexamen mijn geboortestad verliet om te studeren, reed ik in een enorme verhuiswagen, terwijl mijn broer en een vriend in zijn auto volgden. Toen ik de stad uit was, stopte ik een cassette in de autoradio. Sheryl Crow zong even later *Leaving Las Vegas* en ik werd vervuld met een intens gevoel dat ergens tussen geluk en vrijheid in zat.

Nu is het een cd van Gretchen Wilson, die ik onderweg grijs draai. Countryrock uit de VS, niet bepaald subtiele, maar ongelooflijk krachtige muziek. Bovendien heeft deze vrouw een waanzinnig goede stem.

Geleidelijk dringt tot me door wat Evelyn zojuist heeft gezegd. Oma is positief. Dat kan je beslist ook letterlijk opvatten, tenminste in mijn optiek. Het betekent per slot van rekening dat een test Evelyn definitief uitsluitsel kan geven over het gendefect. Vanaf nu is dus alles mogelijk. Ik geloof sterk in de kans van 50 procent die we hebben, maar ik merk dat Evelyn er anders over denkt. Ze gaat ervan uit dat ze de mutatie ook heeft. Ze zal nooit toegeven dat ze dit denkt, maar ik merk het aan haar. Ik schud onwillekeurig mijn hoofd terwijl op de snelweg in de richting van Albtrauf rijd. Hoe kan ze dat moeten weten? Genen kun je niet voelen, daar ben ik 100 procent zeker van. Natuurlijk hoop ik vurig dat ons deze ellende bespaard blijft. Dat zou ook wel zo eerlijk zijn – na alles wat Evelyn heeft doorgemaakt door de dood van haar moeder. Maar ik geloof ook niet in een soort rechtvaardigheid van hogerhand. Dan blijven dus alleen de cijfers over: 50 procent. Dat is toch heel wat, troost ik me.

Een paar uur later belt Evelyn me weer op mijn mobiel. Ze wil weten waar ik blijf. Ik leg de laatste kilometers van de snelweg af, de afrit Bad Reichenhall is al in zicht. Een dik halfuur later rijd ik de oprijlaan van de kliniek op. Evelyn komt me al tegemoet en werpt een blik op de nieuwe auto. Ze stapt in en we rijden samen de garage in.

'Je hebt een nieuwe zonnebril,' zegt ze.

'Ik ben mijn oude kwijt.'

Nou ja, eigenlijk heb ik niet echt gezocht. Je kunt wel stellen dat ik een kleine zonnebriltic heb.

Als we in Evelyns kamer zijn, begint ze weer te huilen. Ze ziet er uitgeput uit en ook ik ben moe door de lange rit. Moeizaam legt ze me de uren erna uit wat haar zo van slag maakt. Het zijn vooral twee dingen: het verdriet om haar moeder die geen kans had omdat ze deze diagnose nooit kreeg, en de angst om oma die immers sinds enkele jaren weer borstkanker heeft.

'Ik heb me blijkbaar altijd aan die onzekerheid vastgeklampt,' zegt ze.

Ik zit toch werkelijk anders in elkaar: ik vind dat onlogisch.

Misschien komt dat alleen doordat het hier niet om míjn lichaam gaat. Ik ben in elk geval blij en ik zeg dat ook.

Later is ze wat bedaard en maken we nog een wandeling. We lopen achter de kliniek over de velden. In de verte is de slapende heks te zien, de avondzon hult de bergen in een roodachtig licht.

HET MOMENT WAAROP IK ZO LANG
GEWACHT HEB

September 2005

'Tot straks.' Tino geeft me een kus en glipt dan de kamer uit. Blijkbaar is de kust veilig, hij draait zich kort om en zwaait even; dan is hij weg. Het is maandagmorgen en Tino probeert weer ongemerkt mijn kamer te verlaten. Het weekend was ondanks onze verschillende gevoelens op vrijdag toch nog heel harmonieus en fijn. Ik voelde me zaterdagochtend weer wat beter. Er waren zoveel gevoelens omhooggekomen, maar het was ook gewoon uitputting en een soort vertwijfeling die ik zelf niet echt wist te plaatsen.

Onderhand is mijn hoofd weer helder. Ik lig nog een paar minuten in bed, dan moet ik ook opstaan. Ik moet bloed geven en dat wordt dan meteen naar Keulen gestuurd. Ik kleed me aan, ga de afdeling op en rol mijn mouw op. Het is zover, dit is het moment waarop ik zo lang gewacht heb. De arts die vandaag bloed afneemt, is normaal gesproken niet verantwoordelijk voor mij. Ik ken hem echter al van enkele groepssessies. Hij is, zoals altijd, in een goed humeur.

'Waarvoor heeft u het bloed nodig?'

Ik geef hem de korte samenvatting terwijl hij het ene na het andere buisje vult.

'En wat gaat u doen als u positief bent?'

'Dan wil ik een preventieve mastectomie.'

Baf, dat komt onderhand zonder aarzeling, als een geweer-schot.

'Dat klinkt goed,' zegt hij glimlachend. Hij praat vrolijk ver-der. Als ik nog kinderen zou willen, hoef ik me geen zorgen te maken. Hij weet van een studie in Oostenrijk, waaruit is geble-ken dat kinderen die geen borstvoeding krijgen zelfs minder allergieën hebben. Dat is dan precies het omgekeerde van de gangbare mening.

Opgelucht ga ik naar beneden naar de toegangshal. Tino heeft in de tussentijd nieuwe muntjes gekocht, zodat we nog samen kunnen ontbijten voordat hij op weg gaat naar Freiburg. Nu begint het wachten weer. Maar als het goed gaat, duurt het maar twee weken. De onderzoekers weten nu precies waar ze in mijn DNA naar moeten zoeken, dus dat kan vlot verlopen.

Het volgende weekend krijg ik geen bezoek van Tino, maar komt mijn zusje. Daar kijk ik enorm naar uit. Ze is twee semes-ters in Mexico geweest, waar we haar in de pinkstervakantie hebben bezocht. Dat was de enige keer dat we elkaar dit jaar hebben gezien. Dat is voor ons extreem weinig. We konden ook niet zo vaak met elkaar bellen als anders. Het tijdverschil maak-te het lastig. Bovendien had ze in Mexico flink wat werk te doen. Ze studeert levensmiddelentechnologie en deed onder-zoek naar – zeer toepasselijk in een Midden-Amerikaans land – bonen. Ik ben vreselijk benieuwd wat mijn kleine zusje te ver-tellen heeft en hoe ze is veranderd.

Donderdagochtend is er eerst nog een verrassing. 'Mevrouw Heeg, de uitslag van uw gentest is er. De collega's uit Keulen hebben me ingelicht.' Ik zit in de kamer van de hoofdarts en ben onder de indruk. Dat is echt snel. Zoals verwacht moet ik voor de uitslag toch echt naar Keulen. De uitslag van oma kon bij wijze van uitzondering nog via de artsen in Schönau worden meegedeeld.

'En hoe gaat het nu verder?'

'U belt naar Keulen om daar een afspraak te maken,' zegt de hoofdarts.

Alle mogelijke gedachten schieten door mijn hoofd. Terug in mijn kamer pak ik meteen de telefoon en de aardige secretaresse geeft me een afspraak voor komende maandag, dus over vier dagen. 'Ja, dat is goed, dan kom ik maandag.' Ik haal diep adem. Het gaat nu heel snel, maar uiteindelijk heb ik lang genoeg gewacht; eigenlijk zou ik het ook wel meteen kunnen horen. In elk geval moeten de plannen worden gewijzigd, maar ik heb al een idee. Het bezoek van Anette korten we in, dan kan ze maandag samen met mij naar Keulen reizen, want ze moet toch naar Bonn. Misschien wil ze wel mee om het testresultaat te horen. Ik zal haar straks meteen bellen. Eerst bel ik Tino; hij moet de treinverbindingen uitzoeken.

Handig, hij zit al achter de computer. 'Met de Duitse Spoorwegen, reisinformatie, wat kan ik voor u doen?' grapt hij. Ook hij is blij door het vooruitzicht dat het wachten nu bijna voorbij is.

'Ongeloofwaardig, te vriendelijk voor de spoorwegen,' zeg ik lachend.

Hij geeft me de treintijden door.

'En rijden we daarna naar Freiburg?' vraagt hij.

'O jee, dat zie ik helemaal niet zitten. Ik krijg maar één dag vrij van de kliniek; dan zit ik maandag meer dan acht uur in de trein en moet ik dinsdag vanuit Freiburg weer acht uur terug.'

'Ja, maar het is toch ook stom als ik meteen weer naar Freiburg rijd en jij naar Schönau?'

'Ik weet dat we nu niet zoveel geld hebben, maar zouden we niet een nacht in een hotel kunnen slapen?'

Ik wil eigenlijk niet naar ons huis in Freiburg. Als ik daar eenmaal ben, wil ik misschien helemaal niet meer terug naar Schönau! Tjonge, wat ingewikkeld.

'Tot wanneer mag je weg?'

'Tot woensdag, geloof ik.'

'En als je gewoon wat eerder weggaat?'

'Ik weet het niet... ik heb geen idee hoe ik op de uitslag zal reageren. Ik wil eigenlijk nog terug. Misschien gaat het wel ontzettend klote. Ik denk het niet, maar ik had ook niet gedacht dat ik
op de uitslag van oma zo zou reageren. Bovendien kan ik met alle
troep die ik hier onderhand heb verzameld niet meer met de trein
terug: mountainbike, wandelspullen, jouw slaapmatje en slaapzak...'

Tino boekt uiteindelijk voor maandagnacht een hotel in Keulen en ik ga dinsdag terug naar Opper-Beieren. 'Dan haal ik je
volgende week vrijdag met de auto in Schönau op. Dan moeten
we die dagen maar zelf betalen.'

'Ja, dat zou ik het liefst willen.'

Zaterdagochtend haal ik Anette op van het station in Berchtesgaden. Ze heeft de nachttrein genomen, maar een plaats in een normale wagon. Ik had haar aangeboden om een deel van de reis te
betalen zodat ze tenminste een couchette heeft, maar vanwege de
kosten wilde ze het zo. Moet het dan per se de nachttrein zijn,
wilde ik weten. 'Evelyn, dan hebben we meer aan de dagen.'
Goed, dat begrijp ik wel. Maar met een couchette heb je volgens
mij meer aan de nacht.

Deze discussie levert echter niets op. Ik ben dan gewoon haar
oudere zus, die ze moet tegenspreken. Misschien komt het ook
doordat onze verhouding soms eerder een moeder-kindverhouding was dan een relatie tussen twee zussen. Ik weet het niet, ik
weet zelf niet eens meer goed hoe een moeder-kindverhouding
voelt. Ik weet onderhand alleen dat ik het gevoel van geborgenheid mis. Ik ben in elk geval blij dat ik het meestal gewoon goed
met mijn zusje kan vinden. Ook al behandel ik haar soms alsof ze
mijn eigen kind is, ik doe het graag en ben blij deel te mogen uit-
maken van haar leven.

Als Anette uit de trein stapt, ziet ze er toch wat geradbraakt uit. Ik slik een betweterige opmerking in, want daar hebben we niets aan. We omhelzen elkaar. Dan presenteert ze me trots haar trolley, die ze in Mexico heeft gekocht. Hmm, die blinkt ook niet uit in handigheid, denk ik. Hij is namelijk behoorlijk kolossaal, vooral voor mijn kleinere zusje.

Eigenlijk wilde ik met haar naar Schönau lopen, maar dat kunnen we nu wel vergeten. Dan moeten we maar een taxi nemen.

Al tijdens de rit vertelt Anette me al haar nieuwtjes en in mijn kamer aangekomen nestelen we ons op het bed en gaan we verder met onze wederzijdse update. Op een bepaald moment ben ik aan de beurt en ik laat haar mijn nieuwe schoenen zien.

'O, Evelyn, schoenen! Wat goed dat je dat zegt. Ik heb absoluut nieuwe schoenen nodig. Die moeten we hier samen kopen.'

'Ja, dat had je in Berchtesgaden moeten zeggen. Hier in Schönau vind je alleen bergschoenen. Bovendien zijn we niet in de grote stad, de winkels sluiten hier op zaterdag om twee uur.'

'Om twee uur?' Anette zet grote ogen op.

'We zijn hier op het platteland! Kom, dan vertrekken we meteen. Dat lukt nog net. Dan slaan we het middageten hier maar over. Ik zou alleen willen voorstellen om te voet naar Berchtesgaden te gaan. Taxi's zijn hier niet zo goedkoop als in Mexico.'

'Te voet?' Mijn zusje is verbijsterd. 'Wil je dat hele stuk dat we met de taxi hebben gereden te voet doen?'

'Ja, kom op. Zo ver is dat niet.'

Onderweg moet ik steeds aanhoren dat het toch wel een flink stuk is. Als we langs het station van Berchtesgaden komen, komt er uitgerekend een bus met het opschrift 'Schönau' voorbij. Anette blijft staan. 'Evelyn, gaat er een bus?'

'Ja, natuurlijk, maar ik heb geen idee wanneer die rijden. We kunnen voor de terugweg kijken,' probeer ik haar te kalmeren.

Anette kijkt zichtbaar gekweld voor zich uit. Op zulke momenten kan ik niet geloven dat we echt zussen zijn. In dit opzicht lijken we absoluut niet op elkaar, want ik heb een enorme behoefte aan beweging en doe ontzettend graag aan sport. Ondanks onze strubbelingen bereiken we het stadje nog voordat de winkels sluiten.

De zondag gaat verrassend snel voorbij. Afgezien van een klein rondje hardlopen, dat ik alleen moet doen, zijn we de hele tijd aan het praten. Er is zoveel te vertellen, vooral over Anettes verblijf in Mexico. Alleen over maandag praten we niet veel. Vreemd genoeg ben ik uiterst rustig, ik voel absoluut geen angst. Anette gaat ook mee, zodat we in Keulen met zijn drieën zijn; dat hadden we snel afgesproken. Sindsdien vermijden we het onderwerp. Omdat de trein maandag heel vroeg vertrekt, heb ik me zonder protest laten overhalen om een taxi te nemen.

De treinreis van Berchtesgaden tot Mannheim vullen we met dommelen en nog meer urenlange gesprekken. Gelukkig halen we vandaag alle aansluitingen. We hebben in Keulen ongeveer dertig minuten de tijd om in het ziekenhuis te komen. Tino heeft al aangekondigd in elk geval een taxi te willen nemen. 'Die extra stress van de tram hebben we echt niet nodig,' beredeneert hij.

Ik ken de tramverbinding, een halfuur is meer dan genoeg, maar ik merk dat het voor Tino echt belangrijk is dat alles soepel verloopt. Of dat hij alles onder controle heeft. In elk geval spreek ik hem niet tegen. Nemen we gewoon nog een keer de taxi vandaag.

Wanneer we Tino in Mannheim treffen, is hij in feite nerveuzer dan ik. Anette en ik vertellen hem over ons dagje winkelen. Tino luistert wel, maar wekt niet de indruk dat hij bijzonder geïnteresseerd is. We vertellen toch maar verder. We moeten toch iets doen.

Bij het station springen we in een vrije taxi. Tijdens de rit vraag ik me af of de chauffeur eigenlijk wel de snelste weg neemt, maar daar zal ik niet achter komen. In elk geval levert hij ons stipt op tijd af, we pakken onze tassen en koffers en staan wat besluiteloos voor de deur. Tino en Anette kijken me verwachtingsvol aan, maar ik moet me eerst oriënteren. Sinds het borstcentrum in Keulen zit, is er een paar keer een en ander veranderd. Uiteindelijk kan ik me de route weer herinneren en vinden we onze weg door de gangen. Bij de receptie van het centrum voor familiaire borst- en eierstokkanker worden we weer verwelkomd door de vriendelijke secretaresse. Met onze bagage blokkeren we de halve gang. 'Gaat u maar in de wachtkamer zitten. De tassen kunt u hier laten, ik let er wel op.'

De wachtkamer is ondertussen veranderd, het is compleet anders sinds mijn eerste bezoek hier. De muren zijn in aangenaam geel geverfd, er hangen neutrale, maar vriendelijke afbeeldingen aan de muur; het is bijna niet te geloven dat we in het ziekenhuis zijn. Hoewel we aan de vroege kant zijn, hoeven we niet lang te wachten. We worden door een vrouwelijke arts opgehaald die ons door een doolhof van gangen, liften en deuren naar de kamer van dokter Schmutzler brengt. We begroeten elkaar, ik stel mijn zus en man aan de twee artsen voor en dan moet er eerst nog een stoel worden gehaald, want op deze delegatie hadden ze niet gerekend. Op tafel liggen al enkele papieren. Ik werp er kort een blik op en heb al een voorgevoel van wat er nu komt.

De arts begint het gesprek op een rustige, maar serieuze toon. Ze vat nog eens kort de reden van onze komst samen en vraagt dan een laatste keer nadrukkelijk of ik de uitslag van de gentest werkelijk wil weten.

Nee, nu is er geen weg meer terug. Ik ben ermee begonnen en ik zal dit ook tot een einde brengen. 'Ik wil de uitslag weten,' zeg ik vastberaden. Dokter Schmutzler knikt en toont ons op een scan van oma's genen waar bij haar de mutaties zijn gevonden. Ik dacht al dat het oma's uitslag was.

'En nu naar u, mevrouw Heeg. Helaas hebben we deze mutaties ook in uw genen gevonden.'

Het is eruit. Ik ben positief. Naast mij begint iemand te snikken. Het is Anette. We bekommeren ons allemaal om mijn zusje, die op dit moment het meest van slag is door het slechte nieuws. Voor Tino en mij stond van begin af aan vast dat het zo kon lopen. Tino geloofde meer dan ik dat ik de mutatie niet zou hebben. Maar dat we naar Keulen moesten komen om de uitslag te horen, had hij vanbinnen al als slecht teken opgevat.

Na een paar minuten is Anette iets bedaard en de arts legt me nog eens duidelijk uit wat de verschillende mogelijkheden zijn die ik nu heb: strenge controle, behandelingen met bepaalde medicijnen of dus de verwijdering van het borstweefsel.

'Ik heb al besloten een mastectomie met gelijktijdige reconstructie te laten uitvoeren,' zeg ik. Alleen de mastectomie biedt een werkelijke vermindering van het risico. Al het overige is voor mij kanker in termijnen. Alleen al het idee dat bijvoorbeeld onmiddellijk na een controle een tumor zou ontstaan. Die zou dan een halfjaar de tijd hebben om in mijn lichaam te groeien en zich uit te zaaien! Bovendien zou ik me zeker de hele tijd ziek voelen, vooral als ik elk dag bepaalde medicijnen zou moeten slikken die het risico uiteindelijk toch niet echt kunnen verkleinen.

'Op dit moment biedt toch alleen een mastectomie de grootste veiligheid?'

De arts beaamt dit. 'Afhankelijk van het onderzoek blijft er een kans bestaan van maximaal een paar procent.'

Dan beschrijft ze voor het eerst uitvoerig de verschillende methoden om de borst met eigen vetweefsel te herstellen. We horen dat het erop aankomt dat de chirurg zoveel mogelijk borstweefsel verwijdert. Dat bepaalt dan ook het zogenoemde restrisico, want juist in het restweefsel kan nog een tumor ontstaan. Als de chirurg dus 5 procent laat zitten, heb ik een hoger restrisico dan wanneer er maar 2 procent overblijft. Een bepaald restrisico zal er altijd blijven, maar in elk geval is het weefsel dan niet meer met het lymfesysteem verbonden, waarlangs tumoren zich bijzonder goed kunnen uitzaaien. Het spreekt ook voor zich dat ik de rest van mijn leven vrij streng gecontroleerd moet worden.

Tino vraagt of ze ons een chirurg kunnen noemen die zulke operaties uitvoert. Er zijn natuurlijk verschillende chirurgen die in aanmerking komen. Dokter Schmutzler geeft een uitgebreid overzicht van de bekwaamste chirurgen en hun reconstructie-technieken, en ze vertelt over haar persoonlijke ervaringen. Zo behaalde één specialist wel zeer mooie uiterlijke resultaten, maar moest bij de controle worden vastgesteld dat bij de vrouw in kwestie nog relatief veel weefsel was achtergebleven. Dat wil ik natuurlijk in geen geval. Als het moet, dan moet het ook goed.

'En dan is er nog dokter Feller in München. Met hem hebben we zeer goede ervaringen, zowel qua uiterlijk als wat de verwijdering van het borstweefsel betreft.' Dat is de man uit het artikel in de *Spiegel*.

We vragen nog hoe een reconstructie precies verloopt. Ze legt ons uit dat het meestal met buikvet wordt gedaan. Daarvoor zou ik eventueel nog wat moeten aankomen, maar dat zal de chirurg dan gedetailleerd met ons bespreken. Aankomen, denk ik bij mezelf, daar zit ik niet echt op te wachten. Maar goed. Dokter Schmutzler belooft ons nog haar steun bij het indienen van de onkostenvergoeding. Die steun zullen we nodig hebben, want normaal gesproken vergoedt de verzekering geen preventieve operaties.

Natuurlijk betekent de uitslag ook dat op mijn veertigste mijn eierstokken moeten worden verwijderd, omdat de kans op eierstokkanker dan explosief toeneemt. Dat is ook een gevolg van de mutatie, maar dat is nu nog niet echt aan de orde. Eerst zijn er andere obstakels die veel dringender zijn. We spreken af dat ik de artsen op de hoogte zal brengen als ik meer weet over de mastectomie.

We nemen afscheid van de twee artsen die het gesprek zeer meelevend hebben gevoerd en verlaten het ziekenhuis. Voorlopig is er genoeg gepraat.

Als we voor de deur staan, neem ik de leiding. 'We nemen de tram. Iedereen akkoord? Oké, dan gaan we.' Vreemd genoeg heb ik geen behoefte aan wandelen. Op de een of andere manier ben ik kalm. Nu weet ik hoe het ervoor staat en kan ik iets doen. Tino daarentegen is teleurgesteld. We stappen uit de tram en zoeken een café in het voetgangersgebied. De stad is zoals altijd afgeladen. Het eerste café laten we links liggen: het is niet naar onze smaak, te veel kanten tafelkleedjes en filterkoffie. Dat blijkt al snel een vergissing te zijn, want erg veel keuze aan cafés heb je hier blijkbaar niet. 'Misschien zijn de huurprijzen te hoog,' gissen we. Of we zien ze gewoon niet. Anette kent Keulen wat beter. 'Hier vlakbij is iets. Kom maar mee!'

Na wat wel uren lijkt, bereiken we een leuk café dat modern en Amerikaans aandoet, en met de nodige koffie, brownies en muffins ziet de wereld er meteen wat vriendelijker uit. We praten nog kort over de uitslag, maar het gesprek wordt al snel luchtiger. Ik heb het gevoel dat het zo wel goed is. In elk geval is alle moeite niet voor niets geweest.

Ons hotel moet zich ergens bij de dom bevinden. We koersen richting het station, waar we afscheid nemen van Anette, want ze neemt de trein naar haar vriend in Bonn. We vinden het hotel inderdaad een paar straten verderop, aan een rustig plein met een kerk. We checken in, gooien onze bagage in de hoek en ik bel kort naar Anettes vriend om hem te vertellen hoe het ervoor staat – en ook om hem te zeggen dat het mijn zusje nogal heeft aangegrepen. Dan is hij tenminste voorbereid.

Tino staat onder de douche en ik kijk om me heen. Dit is eigenlijk helemaal niet zo slecht, denk ik. Ik ben wel blij dat ik nu niet naar Freiburg hoef. Het is wel goed om de eerste indruk van de uitslag ver van huis te ondervinden. Het is een soort adempauze. Als ik ook heb gedoucht, maken we ons gereed voor een wandeling door de stad. Na sluitingstijd is het voetgangersgebied wat rustiger. We slenteren langs de etalages in de richting van de Rijn. Het is hier behoorlijk toeristisch, maar toch leuk. We vinden een gezellige Italiaan, waar we pizza kunnen eten. We gaan zitten, bestellen en beginnen langzaam de gebeurtenissen van vandaag te bespreken. Op dit moment heeft de opluchting over de verkregen duidelijkheid de overhand, nu ook bij Tino. In zeker opzicht voelen we ons vanavond weer wat losser. Het is raar, maar zo is het. We weten nu wat ons te doen staat.

Als de kelner onze borden brengt en ik de geuren van het eten opsnuif, merk ik dat het toch tijd wordt om weer naar huis te gaan. Eindelijk weer eens met veel knoflook koken, zonder ook maar ergens rekening mee te houden! In de kliniek wordt dat niet gedaan, misschien vanwege de oudere patiënten. Ik heb het al veel te lang zonder mijn zomerse lievelingsgerecht – verse pesto, door Tino met de vijzel gemaakt – moeten stellen. Er is vast nog vers basilicum op de markt te krijgen, denk ik, terwijl het water me in de mond loopt.

AFSCHEID VAN SCHÖNAU

'Bent u alweer terug?'

Ik kom de arts tegen die me het bloed voor de gentest heeft afgenomen. Het is halfnegen 's avonds.

'Hoe was het?'

Ik wijs met mijn duimen omlaag.

Hij knikt. 'U wist het al.'

'Ja.'

'Gaat het? Heeft u nog iets nodig?'

'Nee, bedankt. Het is goed zo. Ik ga nog even bij iemand langs.'

'Tot morgen dan.'

Tino heeft meteen na thuiskomst in Freiburg dokter Feller in München opgebeld. Het is nauwelijks te geloven, maar we hebben een afspraak voor vrijdagmiddag! Dat is perfect. Tino komt donderdagavond met de auto naar Schönau, we pakken al mijn rommel in en vrijdag rijden we naar München. Vandaaruit gaan we door naar huis.

Volgens de arts wist ik het eigenlijk al... Dat klopt eigenlijk wel, ik wist het al langer zeker. Mijn gevoel heeft me duidelijk ingegeven dat ik nu iets moest ondernemen voordat het te laat is. Dit was dus mijn eerste gesprek over het feit dat ik positief ben. Nou ja, echt een gesprek kun je het niet noemen, maar er valt niet veel te bespreken. Het is zo en ik weet wat me te doen staat. Zal ik nu bij Anne aankloppen? Ach, ik ga toch liever nog even naar buiten. Het regent niet en daar moet ik meteen van profiteren.

Buiten is het ondertussen helemaal donker, aan de hemel zie ik maar een paar sterren, maar het is een zachte avond. Nog zomer, denk ik bij mezelf.

Ik kan er nog altijd niet bij met mijn hoofd dat het zo snel verder kan gaan. Vrijdag al gaan we naar dokter Feller en hoor ik meer over de operatie. Ik zou het niet prettig vinden om enkele kilo's te moeten aankomen. Misschien voel ik me bij de arts ook totaal niet op mijn gemak. Dan wordt het beslist niet gemakkelijk om een andere specialist te vinden. In het artikel in de *Spiegel* van Klaus stonden nog andere namen, maar de uitdraai van de tekst ligt in Freiburg. Ik zou nu graag weten welke namen dat waren. Moet ik eigenlijk minstens twee artsen raadplegen of kan ik een dergelijke beslissing al na het eerste gesprek nemen? Zoveel moeilijke vragen! Maar goed, we zien vrijdag wel verder. Eigenlijk had het niet beter kunnen gaan! Ondertussen kijk ik er ook enorm naar uit om terug in Freiburg te zijn. Eindelijk weer mijn eigen vier muren om me heen, eindelijk weer eens zelf koken.

Ik zal wel een paar dingen veranderen in mijn leven. Vanaf nu hoort vers fruit bij het ontbijt. Dat was hier altijd fantastisch 's ochtends. Dat moet ik thuis ook gaan doen. En het doet er niet toe hoe vroeg het is, ik heb meer dan vijftien minuten nodig om te ontbijten. Dan begint de dag gewoon beter. Toch bizar, wat er de afgelopen weken is veranderd!

Ik ben weer bij in de kliniek. De laatste meters gaan steil bergop, voorbij het restaurant. Hoe zal het zijn om nu andere patiënten te zien? Wat zeg ik? Eigenlijk een idiote vraag; ik zeg gewoon dat ik positief ben. Dat is toch geen schande? Ik kan er immers niets aan doen. Ik ga omhoog naar de eerste verdieping en op de trap voel ik de vermoeidheid van de lange dag die mij onverbiddelijk naar bed trekt.

Ik heb verrassend goed geslapen. Super, ik spring vol energie het bed uit. Op naar het ontbijt! Daar ben ik zoals altijd een van de eersten. Het is nog heel rustig, geen drukte, geen lawaai. Ik haal een *brezel*, de koffie wordt aan tafel gebracht. Vandaag staan er diverse gesprekken met artsen op het programma. Eens kijken of ze vanochtend al een teamvergadering hebben gehad en allemaal al op de hoogte zijn! Verder moet ik de terugreis regelen. En naar school bellen. Het is geen fijn nieuws dat ik mijn nieuwe bazin moet meedelen. Hoe zal ze reageren? Ik ken haar alleen van twee korte telefoontjes. Vreemd, sinds een paar dagen is de school weer begonnen. Het lijkt ontzettend ver weg. Ik kan nu nog niet veel zeggen, misschien weet ik vrijdag meer. Het zou wel mooi zijn als ik over een halfjaar weer aan het werk kan. Ik kan het echter niet afdwingen. Ach, het doet er ook niet toe, het is allemaal giswerk. Na het ontbijt ga ik naar fysiotherapie en fitness. Dat klinkt indrukkend, niet? Het doet me ook echt goed. Mijn schouderpijn, die ik vooral tijdens mijn slaap en later tijdens het wakker liggen had, is weg. Dat motiveert, ook al weet ik niet of het door de fysiotherapie komt of door de andere therapieën, of door de gesprekken met de hoofdarts.

'Goedemorgen, mevrouw Heeg.'
'Goedemorgen.'
'Hoe was uw reis naar Keulen?'
Ik haal even adem.
'Ik ben positief. Er is een mutatie gevonden, BRCA1.'
'En hoe gaat het dan nu met u?'
'Verrassend goed.' Dat klopt ook echt. Ik vind het moeilijk om hardop te zeggen, maar het is de zekerheid die ik zo graag wilde. 'Ik heb vrijdag zelfs al een afspraak in München bij een arts die zulke operaties uitvoert.'
'Dat is mooi. En, mevrouw Heeg, wees eens eerlijk, u wist al dat u draagster van de mutatie was, niet?'

Dus ook de hoofdarts had die indruk. Toch vreemd, dat heb ik blijkbaar uitgestraald.

We praten over de impact van deze informatie. Dan zegt de arts: 'Nu moet u leren om deze handicap in uw leven in te passen.' Ze pauzeert even. Ik schrik. Handicap. Ben ik nu gehandicapt? De gedachte veroorzaakt een steek in mijn buik.

'Ik kies dit woord bewust, mevrouw Heeg, omdat dit het beste laat zien dat het geen kleinigheid is en zal zijn. Ook na de operatie zullen er moeilijke tijden komen, lichamelijke veranderingen en dergelijke. U zult er echter in slagen uw leven aan dit alles aan te passen.'

Ik voel een brok in mijn keel. Zal het echt zo zwaar zijn? Het doet wel goed om te horen dat ze gelooft dat ik het aankan. Hopelijk overschat ze me niet.

Het gesprek gaat over op de organisatorische zaken. We spreken af dat ik vrijdagmorgen heel vroeg zal vertrekken. Daarvoor moeten er nog een paar onderzoeken worden gedaan, afrondende gesprekken, enzovoort. Het is allemaal nogal wat. Anderhalf uur tot de volgende afspraak, snel even naar buiten.

In de loop van de dag wordt het steeds gewoner om erover te praten. Zo langzamerhand zou een bordje om mijn nek handig zijn. Nee, zonder gekheid, de belangstelling van de anderen ontroert me. Velen zijn er zichtbaar door aangeslagen. Grappig genoeg ben ik dan degene die zegt: maak je geen zorgen, het komt wel goed, ik weet wat me te doen staat.

De woensdag zit verder vol met andere afspraken. Donderdagochtend begin ik langzaam mijn spullen te pakken. Ik krijg steeds meer zin om te vertrekken. Aan het begin van de middag maak ik met Lorenz een lange wandeling naar het Königsmeer. Daar knap ik van op. Hij is ook patiënt hier, op de afdeling orthopedie. We zijn tafelgenoten en de afgelopen weken zijn we bevriend geraakt. Hij komt uit Schönau en kent de omgeving hier natuurlijk als zijn broekzak. Hij toont me nog een nieuw pad van de kliniek naar het meer. Onder het wandelen laten we alle weken hier nog eens de revue passeren.

Daarna wacht ik eigenlijk alleen nog op Tino, die later op de avond komt.

'Misschien hadden we toch een minibusje moeten kopen.'

Tino is enigszins geschokt als hij ziet hoeveel spullen ik de afgelopen tien weken heb verzameld. Hij staat in de kamer, waar her en der tassen, zakjes en dozen verspreid staan. Beneden staat ook nog eens mijn mountainbike.

Uiteindelijk lukt het ons. Later gaan we met Lorenz en zijn vrouw nog in Schönau eten. Het afscheid nadert. Donderdagochtend was al de laatste afdelingsronde. Alle artsen en medepatiënten zitten bij elkaar en het gaat over algemene onderwerpen. Zoals mijn afscheid. Afscheid nemen is altijd verdrietig, voor mij was het jarenlang werkelijk traumatisch. Misschien omdat het afscheid van mijn moeder zo onverwachts kwam, of omdat ik het als jong meisje gewoonweg niet aankon. Ik had dan ook geen hulp om met dit afscheid om te leren gaan. Hier in Schönau is het voor het eerst anders. Het doet wel pijn, maar het is ook goed om nu te gaan. Die eindeloze droefheid, die me anders bij een afscheid altijd overstelpte, is er deze keer niet.

Donderdagavond liggen we in bed en bespreken we wat we morgen zullen aantrekken. De praktijk ligt tenslotte in de Maximiliaanstraat. Een plastisch chirurg in de duurste winkelstraat van München, daar willen we niet in korte broek en op slippers aankomen, anders neemt niemand ons daar serieus. Tino heeft zijn 'eenvoudige zakenuitrusting' bij zich: grijs colbert, overhemd, zwarte broek. Ik heb er woensdag al over nagedacht. Mijn beige broek en een zwarte bloes met pailletten, daarin zou ik me goed voelen. Tino heeft de bloes en ook schoenen uit Freiburg meegebracht.

De volgende ochtend sluipt Tino voor de laatste keer mijn kamer uit. We nemen het al niet meer echt serieus en Tino maakt er een kleine show van. Hij gluurt overdreven voorzichtig uit de kamer.

'De kust is veilig!' fluistert hij met een samenzweerderig gezicht. Hij steekt zijn duim omhoog en glipt geruisloos de gang op. Ik zie nog hoe hij de klink vanbuiten heel langzaam loslaat.

EEN AARDIGE ARTS

Het paste allemaal in onze Peugeot. Ondertussen ploeteren we voort door het drukke verkeer van München. Evelyn heeft de stadsplattegrond op haar knieën, terwijl ik achter het stuur rust en overzicht probeer te bewaren.

Op de website van dokter Feller was een fraai hoekhuis in de Maximiliaanstraat in München te zien, de beste en duurste locatie in de niet bepaald goedkope hoofdstad van de deelstaat Beieren. We steken de Isar over en nu begint onze zoektocht naar een parkeerplaats. Evelyn wijst naar rechts, ik sla af, nee, hier lukt het niet, alles vol, linker richtingaanwijzer aan en terug de straat op.

'Daar staat een parkeergarage aangegeven,' zegt Evelyn een paar meter verder. Bij het stoplicht slaan we links af en ik werp een blik op het hoekhuis. 'Hier is het al...'

In de praktijk mogen we in de wachtkamer plaatsnemen. Alles is erg chic, maar niet protserig ingericht. We zeggen nog een paar woordjes. Hoe zal de arts zijn? Natuurlijk hopen we dat hij aardig is, want dat zou het een stuk gemakkelijker maken. Maar kun je dat van een plastisch chirurg in München verwachten? Erg druk is het niet, we zitten alleen in de wachtkamer en enkele minuten later wordt Evelyns naam al afgeroepen. Ook de kamer van de arts is smaakvol ingericht, veel donkere kleuren, alles heeft een rustgevend effect. Dokter Feller geeft ons een hand en verzoekt ons te gaan zitten. Hij is slank en misschien begin vijftig. Zijn uiterlijk heb ik al op de website kunnen bekijken, maar in het echt komt hij veel sympathieker over. Zijn handdruk is stevig en ik kijk in een paar vriendelijke, blauwe ogen. Ik heb al meteen een positieve indruk. Hij straalt kalmte en welwillendheid uit.

'Wat kan ik voor u doen?'

Evelyn begint te vertellen: familiaire borstkanker, gentest, Keulen, aanbeveling van dokter Schmutzler en nu de wens van een preventieve amputatie met reconstructie.

De arts luistert rustig en neemt pas het woord als Evelyn is uitgesproken.

'Dat is een goede beslissing, mevrouw Heeg. Ik kan u beloven dat u daarna weer zorgeloos kunt zijn.'

Ik ben ontzettend opgelucht, de man lijkt onze situatie te begrijpen, niet alleen medisch, maar ook emotioneel. Wat een geluk! De arts informeert ons in alle rust over de operatie. Inderdaad wordt het vetweefsel vaak uit de buik genomen, maar uit de billen is ook mogelijk. 'Dan moeten we om technische redenen wel twee operaties uitvoeren.' Tussen de twee operaties zit meestal een periode van zo'n vier weken. Eerst wordt de ene kant geopereerd, het borstweefsel wordt verwijderd, er wordt vetweefsel uit de bil genomen en in de borst getransplanteerd, waar het weefsel weer op de bloedvaten wordt aangesloten. Het eerste deel van de operatie moet Evelyn op haar zij liggen. Vier weken later vindt dan dezelfde operatie plaats aan de andere kant. Dit wordt zo gedaan vanwege de verse wonden, waarop ze niet kan liggen. 'Bij u zullen we eerder voor een transplantatie van weefsel uit de billen kiezen.'

'Moet ik daarvoor nog aankomen?'

'Nee, dat denk ik niet.'

Dokter Feller verdwijnt kort met Evelyn achter een scherm om haar achterste wat beter te bekijken. Kort daarna roept hij mij erbij en laat hij ons beiden zien dat er genoeg weefsel aanwezig is. Dat had ik niet gedacht, maar des te beter – weer een zorg minder.

'We snijden om de tepel heen, zodat er geen litteken op uw borst te zien zal zijn. Door deze opening verwijderen we het weefsel en transplanteren we ook het vetweefsel.' Dàt is indrukwekkend. Door zo'n kleine opening wordt alles gedaan!

De tepel wordt volledig verwijderd, dat weten we al, want het gevaar dat daar een tumor kan ontstaan, is gewoon te groot. In plaats daarvan, licht de arts toe, transplanteert hij een stukje huid uit de bil op de plek van de tepel. Als de wond volledig is genezen, vormt hij tijdens een kleine ingreep een tepel van dit stukje huid. Kort daarna kan die dan worden gekleurd. Wie niets van de operaties weet, zal er later niets van kunnen zien.

'Hoe zit het met het gevoel in de borst?'

Eigenlijk weten we het antwoord al, maar misschien heeft de specialist ook hierover goed nieuws. Hij schudt echter zijn hoofd. 'Na afloop heeft u daar helaas geen gevoel meer.'

De voordelen van deze techniek liggen echter voor de hand. Het is Evelyns eigen weefsel, dat ook met haar verder leeft en dus dikker of dunner kan worden, veroudert en zich aanpast aan haar lichaamstemperatuur.

'Hoe groot is de kans dat er iets verkeerd gaat?'

'Zeer klein. We hebben dit jaar nog geen enkel transplantaat verloren. Maar natuurlijk is er altijd een zeker risico.'

De chirurg vertelt dat hij al meer dan twintig jaar met deze methode opereert. Dat verrast me, ik dacht dat het een pas ontwikkelde techniek was, regelrecht overgewaaid uit de Verenigde Staten. Wat je toch allemaal bij elkaar verzint als je maar een paar flarden informatie hebt, die soms ook nog onjuist is. Dokter Feller geeft ons een kopie van een wetenschappelijk artikel over de operatietechniek en drukt ons op het hart dat we altijd kunnen bellen als we vragen hebben.

'Ik kijk meteen wanneer we plaats hebben, zodat u op de hoogte bent en in alle rust kunt nadenken.'

De arts bladert in zijn agenda en noemt twee data, half november en half december. 'De opname duurt tien dagen. U wordt dinsdagavond opgenomen in kliniek Geisenhofer aan de Engelse tuin en we zouden u dan woensdagochtend opereren.' Daarna moet Evelyn eerst twee dagen heel stil onder een elektrische deken van veertig graden liggen, zodat het transplantaat zonder problemen aangroeit. Gelukkig plannen we dit niet hartje zomer!

Weer ben ik opgelucht, want voor zo'n ingreep had ik al rekening gehouden met wachtlijsten van vele maanden. Half november, dat is eigenlijk heel goed.

Tot slot bespreken we nog de financiële kant. Uiteindelijk moet deze ingreep ook worden betaald. Dokter Feller noemt het bedrag: ongeveer 15.000 euro zullen de twee operaties kosten; daarbij komen nog de ziekenhuisopnames van twee keer tien dagen en de rekening van de anesthesist, dus komen we gemakkelijk op het dubbele uit. Deze rekeningen hoeven pas na het verblijf worden betaald, maar omdat het niet zeker is of en hoeveel de verzekering zal betalen, moet dokter Feller om een aanbetaling vooraf vragen, waarbij hij ons om begrip vraagt. We kijken elkaar kort aan, dat is een hoop geld, maar we hebben nog spaargeld.

'Dat is geen probleem, we kunnen het bedrag vooraf overmaken,' zeg ik. 'Kunt u ons helpen de aanvraag er bij de verzekering door te krijgen?'

'Ik schrijf graag een brief.'

Daarmee moet het lukken, een officiële brief van dokter Schmutzler, deskundige op het gebied van familiaire borstkanker, en een van dokter Feller, deskundige op het gebied van mastectomie met reconstructie – dat zal de verzekeringsmaatschappij misschien overtuigen. Hopelijk krijgen we in elk geval een deel vergoed.

De arts benadrukt nog eens dat we te allen tijde contact met hem kunnen opnemen. 'Er zullen zeker nog vragen opkomen als u er straks samen over nadenkt. Belt u gerust, u krijgt me waarschijnlijk niet altijd meteen aan de telefoon, maar ik bel u dan 's avonds terug. Ik stel u nu voor aan mijn collega dokter Heckmann. Hij laat u nog een paar foto's van borsten voor en na de operatie zien. Als u er niets op tegen heeft, maakt hij ook meteen van u een paar foto's, mevrouw Heeg.'

We geven dokter Feller een hand en nemen afscheid.

Dokter Heckmann brengt ons meteen naar een fotoruimte. Hier laat hij ons op een beeldscherm verschillende resultaten zien. Indrukwekkend. Uitwendig zijn de grootste storende factoren de lange littekens op de billen of op de buik. Gelukkig bevinden ze zich allemaal netjes onder het bikinibroekje.

Na een korte fotosessie van Evelyn verlaten we de praktijk.

Op weg naar beneden zijn we het erover eens: erg sympathieke artsen!

Een paar dagen later komen Horst en zijn vriendin Tanja bij ons eten. Tanja is net bevallen van haar eerste kind, Marvin heet de kleine. Ze zitten in onze keuken en we bewonderen beleefd het hummeltje. Het begin van de avond belooft al niet veel goeds. Tanja vertelt uitvoerig over de geboorte en gaat vervolgens over op de zegeningen van borstvoeding. Ik ben nooit echt dikke vrienden met haar geworden. Evelyn had zelfs al heel snel een sterke antipathie tegen haar, omdat Tanja haar aan haar stiefmoeder doet denken. Ik kijk Tanja onderzoekend aan. Waarom snijdt ze uitgerekend nu dit onderwerp aan? Heeft ze dan werkelijk niet door dat dit voor ons uiterst pijnlijk is? We hebben de diagnose gehad, we hebben besloten voor een mastectomie te gaan; voor Evelyn is dus sinds een aantal dagen duidelijk dat ze nooit van haar leven een kind borstvoeding zal geven.

Horst zit er tevreden bij en lijkt ook volledig door de hormonen bevangen. Hij weet het toch allemaal? Heeft hij Tanja niet over de testuitslag en de operaties verteld? Dat kan ik me nauwelijks voorstellen. Ik probeer van onderwerp te veranderen, maar Tanja is hardnekkig. Ze houdt weliswaar op met haar verheerlijking van borstvoeding, maar steekt nu een lofrede af op haar moeder. Hoe fantastisch ze wordt gesteund door haar, hoe haar moeder opbloeit door het kleinkind, enzovoort. Weer een voltreffer. De avond loopt langzaam uit op een ramp.

Omdat de twee niets vragen, brengen we op een bepaald moment zelf maar de aanstaande operaties ter sprake. Tot nu toe zijn we er altijd erg open over geweest en dat willen we ook zo houden. Eigenlijk stoort het me nu al vreselijk dat de hele avond nog niet een keer is gevraagd hoe het met ons gaat. De geboorte is eindelijk in geuren en kleuren beschreven – wat natuurlijk ook terecht is – maar nu zitten die twee daar maar wat en tonen ze niet de minste of geringste belangstelling voor het onzekere lot van hun gastvrouw en -heer. Goed, dan vertellen we het ze wel ongevraagd.

'Maar dan kan je helemaal geen kinderen meer krijgen!' roept Tanja verbijsterd uit als ze hoort dat Evelyn een mastectomie van plan is.

'Natuurlijk wel! Hoe kom je daar nou bij?' vraagt Evelyn verbaasd.

Tanja ziet dat anders. 'Maar je kunt toch helemaal geen borstvoeding meer geven?'

Nu ben ik werkelijk sprakeloos. Wat een ongelooflijke domheid. Ik kijk haast smekend naar Horst, want, hallo, dit zou het perfecte moment zijn om zijn vriendin terug te fluiten. Maar hij zit nog belachelijk tevreden op zijn stoel en volgt dit bizarre gesprek zonder een kik te geven.

'Dat heeft toch niets met een eventuele zwangerschap te maken,' zegt Evelyn ten slotte. 'Ik kan nog steeds zwanger worden.'

Ze legt uit dat het weefsel bij haar uit de billen wordt weggenomen, maar ook bij een transplantatie van buikweefsel zijn zwangerschappen geen probleem zodra de littekens zijn genezen.

Tanja kan zich niet met ons besluit verzoenen. Het is net alsof wij nu haar avond hebben verpest. Ze trekt een beledigd gezicht en richt zich ten slotte weer op haar baby. Evelyn verandert van onderwerp en we praten nog een paar minuten met Horst over iets onbenulligs, voor de twee dan eindelijk weer opstappen. Als ze weg zijn, ben ik nog steeds verbijsterd. Hoe kun je zo bot zijn? We schudden allebei ons hoofd. Ik ben ook enorm teleurgesteld in Horst. Ergens is dit wel een emotioneel dieptepunt. Ik heb al de hele zomer erg weinig steun van hem gekregen, hoewel hij wist dat het met mij ook niet goed ging. Maar zoveel onbegrip en onwetendheid ten aanzien van onze stap zijn we tot nu toe nog niet tegengekomen. En dat nog wel van hen allebei.

De volgende dag vragen we nog een paar dingen na bij dokter Feller, die inderdaad vlot terugbelt en ook aan de telefoon weer erg aardig is. Uiteindelijk zegt Evelyn hem dat ze graag gebruik wil maken van de data in november en december. We hebben dat op de terugweg van München al uitgebreid besproken. Ik wilde eerst nog een paar maanden wachten, maar Evelyn was ervoor alles nu snel af te handelen. Ook voor haar werk zou dat het beste zijn, want de operaties zullen haar zeker drie maanden uit de roulatie houden. 'Als we het meteen doen, kan ik misschien de tweede helft van het schooljaar gewoon meedraaien.' Dat zag ik dan ten slotte ook in.

Dokter Feller noteert de afspraak en zegt dat zijn assistente ons alle formulieren en informatie zal toesturen.

Als Evelyn ophangt, kijk ik op de kalender: nog minder dan vier weken tot de eerste operatie.

COUNTDOWN

Begin november 2005

Vandaag is een rustdag. En de voorlaatste dag van onze vakantie. We hebben onszelf nog op een weekje fietsen op Mallorca getrakteerd. Na heel lang wikken en wegen, want eigenlijk is nog steeds niet duidelijk wat er financieel allemaal op ons afkomt. Het is onduidelijk wat de operaties bij elkaar zullen kosten en we weten vooral nog niet wie ze betaalt. Als ambtenaar krijg ik 50 procent vergoed uit mijn particuliere zorgverzekering en de andere 50 procent uit de speciale uitkering voor ambtenaren. Mijn ervaring tot nu toe was dat ofwel beide vergoeden, of geen van beide. Het ziekenhuis waar dokter Feller werkt, is voornamelijk een particuliere kliniek, dus zeker niet bijzonder goedkoop. Hopelijk kunnen we de verzekeringsmaatschappij en de uitkeringsinstantie ervan overtuigen dat de preventieve operatie veel goedkoper is dan borstkanker krijgen met verwijdering van de tumor, chemotherapie en aansluitende revalidatie. Daarbij komt nog eens het verhoogde risico om na enkele jaren weer kanker te krijgen en er ook aan te overlijden. Wat het gezonde verstand zegt, ligt voor de hand, maar of dat telt? Waarschijnlijk zal het nog niet geregeld zijn voor ik onder het mes ga. De administratieve molens malen langzaam.

Begin oktober zijn de brieven aan de verzekering en uitkeringsinstantie de deur uit gegaan, met de officiële brieven van de twee artsen. Hopelijk neemt iemand daar de moeite om alles te lezen. Het was in elk geval behoorlijk wat werk. Een kleine twee weken later, een dag na mijn verjaardag, is er een brief van de uitkeringsinstantie. Even flitste het hoopvol door me heen dat ze me op mijn verjaardag de vergoeding toekennen! Maar het was puur toeval dat de brief op zes oktober was opgesteld. De instantie vraagt alleen om een medisch attest van de geneeskundige dienst. Ik heb er uiteraard rekening mee gehouden dat de overheid me door mijn lange afwezigheid op een bepaald moment naar de bedrijfsarts stuurt. Dat weet ik nog van mijn moeder. Dat is ook begrijpelijk, maar dat de brieven van twee artsen niet voldoende zijn om de kosten vergoed te krijgen is toch raar?

Nou ja, ik heb alles nog eens gekopieerd, in een envelop gestopt en ben ermee naar de geneeskundige dienst gegaan. De weken erna heb ik steeds weer bij de diverse bevoegde ambtenaren nagevraagd hoe het met de aanvragen zit, maar er is nog geen nieuws. Tegelijkertijd komen de rekeningen van de kliniek in Schönau binnen. Het is niet zo gemakkelijk om het overzicht te behouden. Normaal gesproken moet ik alles voorschieten, maar met deze bedragen is het duidelijk dat ik eerst geld van de verzekeringmaatschappij en uitkeringsinstantie moet krijgen voor ik de rekening kan betalen.

Rust is precies wat we nodig hebben voor onze koninginnenrit van morgen. We willen over de hoogste pas van Mallorca, bij Puig Major. Een mooie, maar inspannende tocht, want voor we daar zijn, moeten we heel wat kilometers en hoogteverschillen overwinnen. Eigenlijk is dat geen probleem, maar een rustdag kan ook geen kwaad. Tenslotte zijn we hier niet op strafkamp. Het wordt ook mijn laatste lange fietstocht voor de operaties. Daarna is het voor een aantal maanden over. Geen fijn vooruitzicht.

Ik lig op bed en lees een van de boeken die oma me heeft meegegeven. Te zwaar mag het niet meer zijn, want dan dwalen mijn gedachten voortdurend af en denk ik te veel aan de dingen die komen. De vakantie is ook bijna voorbij, overmorgen vliegen we terug naar Basel. Nog twee keer avondeten. Dat zal ik beslist niet missen. Het hotel is prima in orde, maar het zeezicht betalen we met wat minder goede en vooral vette maaltijden. Maar goed, het zeezicht, het weer – dat maakt een hoop goed. Uiteindelijk zijn er op Mallorca ook supermarkten met een ongewoon, maar des te spannender aanbod aan koekjes en andere zoetigheden. Vandaag kunnen we in elk geval allebei de hele dag blijven eten, want na zes dagen fietsen wil het lichaam op de rustdag de reserves aanvullen. Gelukkig hebben we steeds heerlijk weer gehad: rond de dertig graden, windstil en bestendig weer. En dat eind oktober!

Tino komt binnen vanaf het balkon en laat zich naast mij op bed vallen.

'Beertje!' roept hij. 'Dan blijf ik toch ook lekker hier?'

Ik vond het buiten te vermoeiend, steeds dat boek omhoog houden. We blijven wat op bed liggen, ontspannen de nekspieren en laten rustig de tijd verstrijken. Dan zegt Tino: 'Was gisteravond nou de laatste keer seks voor de operaties?'

'Wat een vraag. Na zo'n opmerking kun je er wel zeker van zijn dat het de laatste keer was!'

In zulke situaties ga ik meteen dwarsliggen.

'Had je daar nog niet bij stilgestaan?' Tino is verrast.

'Om eerlijk te zijn, nee.' Eigenlijk wil ik er ook helemaal niet over nadenken. 'Als dat een hoofdzaak wordt, kun je het helemaal wel vergeten met de seks. Als ik eraan moet denken, dan vergaat de lust me meteen.'

Tino kijkt me peinzend aan.

'Maar hoe gaat het verder?'

Verdomd goede vraag.

'Hoe moet ik dat weten? Gewoon. Ik heb toch nog wel meer gevoelige plekjes?'

Ik weet het niet precies, maar ik vermoed dat de eerste paar keer seks na de operaties niet gemakkelijk zal zijn. Zeker weten doe ik het niet. Ik heb geen idee of ik veel pijn zal hebben en hoe het zal zijn om weinig of niets te voelen in mijn borsten. 'Luister, ik wil er echt niet over nadenken. Ik vertrouw erop dat het wel goed komt.' Bovendien, erger dan afgelopen zomer, toen het zo slecht met me ging, kan het eigenlijk niet worden. Tino grijnst. Hij weet wat ik bedoel, want toen had ik net zo goed een bord met 'raak me niet aan' om mijn nek kunnen hangen.

We blijven nog een tijdje zwijgend liggen en al snel is hij weer in zijn boek verdiept.

Tot nu toe heb ik het steeds verdrongen. Er zijn immers geen antwoorden. Niet voor de komende lente. Ik weet niet eens of ik dan al aanrakingen of genegenheid kan verdragen. Ik merk nu al dat het steeds moeilijker wordt.

We zijn terug uit Mallorca. Nog tien dagen voor de eerste operatie. Welkom in de realiteit. De brievenbus puilt uit, maar nadat we alles hebben doorgekeken, moet ik teleurgesteld concluderen dat er geen bericht over de ziektekosten bij zit en ook niets over een pakje met de compressiebroek. Dokter Feller heeft ons meteen bij het eerste gesprek uitgelegd dat ik onmiddellijk na de operatie een compressiebroek nodig heb. De broek drukt het weefsel van de billen samen, waar na de operatie grote littekens ontstaan, zodat zich daar geen wondvocht kan ophopen. Feller raadde ons het product van een Nederlands bedrijf aan dat niet zo duur is en toch goed werkt. Ik heb via internet een eerste exemplaar besteld. Ik heb geen idee of één genoeg is, maar ik kan er altijd een bij kopen. Zo langzamerhand zou de eerste broek wel mogen komen.

Vandaag is het zondag en daarom kan ik helemaal niets doen. Bedrukt ruimen we onze tassen op. Al snel hopen zich bergen vuile was op voor onze wasmachine. Bovendien moet ik oma laten weten dat we terug zijn. Ik zucht. Tja, niemand heeft ooit beweerd dat het een pretje zou worden. In elk geval hebben we een fantastische vakantie achter de rug. Dat mag ik niet vergeten.

De volgende morgen word ik wakker en ik weet onmiddellijk: nog negen dagen. Na het ontbijt ga ik meteen achter de compressiebroek aan, die heeft nu de eerste prioriteit, omdat de bestelling via internet nog op zich laat wachten. Al voor de vakantie heb ik meerdere keren geprobeerd om telefonisch en per e-mail iets over de levertijden te weten te komen. Nu moet ik overgaan op plan B.

'Kan ik u helpen?'

Ik sta in de thuiszorgwinkel, vlak naast het stadstheater van Freiburg.

'Ik zoek een compressiebroek zoals deze.'

Ik houd de vrouw achter de balie de beschrijving voor van de broek die ik op internet heb besteld. Ze werpt er een korte blik op.

'Het spijt me. We hebben geen artikelen voor liposucties.'

Wat?

De verkoopster geeft me de beschrijving terug. Ik staar haar sprakeloos aan. Wat zei ze nu? Zie ik eruit alsof ik vet zou laten wegzuigen? Voelt ze zich wel helemaal lekker? Ik stop de beschrijving in mijn tas. Snel weg hier. Dat was dus de grootste thuiszorgwinkel in Freiburg. Fantastisch, en nu? Ik sta op straat en voel me vernederd. Zal ik nu een andere thuiszorgwinkel gaan zoeken? Ik heb totaal geen idee waar ik nog zo'n gespecialiseerde winkel kan vinden. Ik heb ook geen enkele behoefte aan nog meer vernederingen. Ik had die vrouw ook flink op haar nummer kunnen zetten, maar daarvoor ben ik te labiel.

Diep ellendig kom ik dan ook weer thuis. Onder het fietsen voel ik mijn kwaadheid in tranen veranderen.

'En, is het gelukt?'

Tino kijkt nu pas van zijn computer op en daarmee is zijn vraag meteen beantwoord.

Nadat ik wat ben gekalmeerd, leg ik hem uit dat ze er in de thuiszorgwinkel van uitgingen dat ik de broek voor een liposuctie nodig heb. 'Heeft ze serieus gevraagd of het voor een liposuctie is?' Tino is net zo perplex als ik.

'Nee, ze heeft het niet gevraagd. Ze is er gewoon van uitgegaan.'

'Wat een stom mens.'

We overleggen wat we nu verder zullen doen. Ik vraag Tino of hij niet andere thuiszorgwinkels in Freiburg wil opbellen.

'Kom, we kijken of we niet een andere aanbieder op internet vinden. Als we uitleggen dat er haast bij is, kan het misschien sneller.'

Nog altijd beduusd haal ik een stoel en ik ga naast Tino achter de computer zitten. Ik kijk, terwijl hij verschillende trefwoorden probeert.

'Hier, er zijn minstens twee of drie aanbieders.'

Ik word er niet echt vrolijker van. Het is nu niet bepaald mijn vurigste wens om een compressiebroek te bezitten. Het wordt vast vervelend om zo'n ding te dragen. Bovendien moet ik de broek bijna een halfjaar voortdurend aanhouden! Ik zit er wat beteuterd bij. Er komen steeds weer tranen op. De modellen die Tino vindt, maken het er niet beter op. Het model dat dokter Feller had voorgesteld, kon gemakkelijk voor een sportbroek doorgaan, maar deze dingen zijn echt monsterlijk en zien eruit als een martelwerktuig: tot op de knieën en waarschijnlijk ook tot net onder de borst. Om zo'n apparaat aan te trekken zitten er aan de voorkant haakjes. Tino pakt de telefoon en belt op. Hij legt kort de situatie uit, vraagt naar betalingsmogelijkheden en vooral naar de levertijd. Dan begint hij met de vrouw aan de andere kant van de lijn te overleggen over de juiste maat. Daarbij kijkt hij me steeds vragend aan. Ik draai met mijn ogen: weet ik veel hoe groot mijn kont na de operatie nog is! ik wou dat ik het wist! Uiteindelijk vraagt Tino me of ik een huidkleurige wil of een zwarte. Zwart natuurlijk, wat een vraag! Maar dan moet ik met dat gigantische ding wel het komende halfjaar in een spijkerbroek rondlopen. Tino vraagt de vrouw om een korte bedenktijd en hangt op.

Als hij mijn gezicht ziet, vraagt hij: 'Is deze broek niet goed?'

'Ach, nou ja... Ik kan me wel iets leukers voorstellen dan in zo'n ding rond te moeten lopen, maar het is nu eenmaal zo. Huidkleurig vind ik verschrikkelijk, maar onder een lichte broek is het natuurlijk de enige mogelijkheid. Ik weet het gewoon niet meer.'

'En als we nu eens beide bestellen?'

'Weet je wel wat die dingen kosten?' Met verzendkosten erbij zijn we zo 200 euro kwijt.

'Dat maakt toch niet uit,' zegt Tino en hij grijnst. 'Naderhand kunnen we ze gemakkelijk via eBay verpatsen. Als ze ook voor liposucties gebruikt worden, is er vast een markt voor.'

Via eBay veilen? Wat een idee. Uiteindelijk stem ik in.

Tino pakt de telefoon weer en ik ga eerst maar naar de keuken om theewater op te zetten. Dat het zo ingewikkeld moet zijn. Hopelijk gaat dat de komende dagen niet voortdurend zo.

Ook de volgende morgen weet ik het meteen: nog acht dagen. We zitten in de keuken aan het ontbijt. Het is heerlijk om zonder wekker op te staan. Ik neem met Tino kort de dag door. Vandaag staan het ecg voor de operatie en de afspraak bij de fotograaf op het programma. In elk geval die eerste afspraak zou afgezien van wachttijden probleemloos moeten verlopen. Ik zal weer mijn verhaal opdreunen om uit te leggen voor wat voor soort ingreep ik het ecg nodig heb. Ik hoop maar dat ik niet weer op louter onbegrip stuit. De afspraak bij de fotograaf is vanavond. Wat ik daarvan moet verwachten, weet ik niet precies.

Een paar straten verderop is de fotozaak waar ik al vaak langs ben gekomen. De twee fotografen, een echtpaar uit Frankfurt, hebben altijd mooie naaktfoto's in de etalage staan. Op een bepaald moment kreeg ik het idee om op foto's te laten vastleggen hoe ik er nu uitzie en dat heeft me sindsdien niet meer losgelaten. Alleen durfde ik steeds niet. Kort voor Mallorca wist ik dat het nu of nooit is. Ik heb al mijn moed verzameld en ben naar binnen gegaan. De fotografe reageerde heel begripvol op mijn verhaal en plan. 'Ik heb ook een ernstige ziekte achter de rug. Ik kan me voorstellen hoe het voor u is,' zei ze. Daarnaast vertelde ze me dat ze al veel vrouwen heeft gefotografeerd die met borstkanker kort voor de operatie bij haar kwamen.

Ik ben gelukkig niet ziek, schiet het meteen door mijn hoofd. We spreken af voor vanavond. 'Dat doen we na sluitingstijd, zodat we niet gestoord worden. Mijn man zal me assisteren, dat vindt u toch wel goed?'

De dag verloopt zonder verdere bijzonderheden, het ecg is gemaakt en in orde, ik ben fit genoeg voor de operaties. Ondertussen is het even voor zessen. Ik draag al een paar uur geen strakke kleren meer, omdat anders de striemen op mijn huid te zien zijn. Ik heb gedoucht, mijn haar gedaan en ben er klaar voor. De fotografe is zo aardig om mijn make-up te verzorgen. Ik zeg Tino gedag en trek de voordeur achter me dicht. Het is een klein eindje verderop, dus ga ik te voet. Zo kan ik ook nog wat tijd winnen. Ik voel een lichte misselijkheid opkomen en ben er niet meer zo zeker van of dit wel zo'n goed idee is. Ik heb het onbehaaglijke gevoel nog steeds als ik de winkel binnenstap. Het echtpaar ontvangt me met een ontwapenende vrolijkheid die de ernst die ik voelde meteen wat wegneemt. Achter mij gaat meteen de winkeldeur op slot. Ik word naar de achterkamer gebracht, waar de fotografe me op een kruk zet. Haar man is ondertussen bezig met de stereo-installatie.

'Wilt u een glaasje sekt terwijl ik u opmaak? Dan wordt u vanzelf wat losser.'

Daar zeg ik vandaag geen nee tegen. We proosten, voordat ze mijn gezicht onder handen neemt. Dit gedeelte is nog heel aangenaam, maar het uitkleden... Ik merk dat ik weer misselijk word. Niet bij nadenken, ik doe gewoon wat me wordt opgedragen. Als ik het niet meer zie zitten, kan ik het altijd nog afblazen, maak ik mezelf wijs. Zoals ik al vreesde, is de fotografe heel snel klaar. Ik zie mezelf maar vaag in de spiegel, omdat ik mijn bril heb afgedaan en geen contactlenzen draag. Wat ik zie, bevalt me wel. Ik heb onopvallende make-up op; dat ziet er goed uit.

De fotografe kijkt me aan. 'Nu komt het gedeelte dat de meesten het moeilijkst vinden. We verduisteren het vertrek en u kunt uw kleren gewoon hier uitdoen, dan is het niet meer zo erg. Straks bent u vergeten dat u naakt bent.' Ze glimlacht me bemoedigend toe.

Bij anderen gaat het dus ook zo. Wat een troost. Het wordt donker en ik glip uit mijn kleren. Nu wordt het weer wat lichter, maar de twee fotografen gedragen zich alsof het de normaalste zaak van de wereld is dat zij kleren aanhebben en ik naakt ben. Het zijn echte professionals, vooral in de omgang met hun klanten. Ik voel me inderdaad echt op mijn gemak.

'Zo, zullen we beginnen?'

We gaan van start, ze geven me exacte aanwijzingen over wat ik met welk lichaamsdeel moet doen. Zo heb ik helemaal geen tijd meer om erover na te denken hoe het eruitziet. Ik vraag me al snel niet meer af of het misschien te uitdagend overkomt. Ik heb het gevoel dat de twee begrijpen waarom en waarvoor ik de foto's wil hebben en dat ze me daarbij echt kunnen helpen. Ik doe gewoon mee en het is kipsimpel. Sneller dan verwacht is alles voorbij. Ik kan me weer aankleden.

Als we weer in de winkel staan, vraagt de fotograaf: 'En? Was het zo erg als u dacht?'

'Nee, helemaal niet. Het was zelfs wel leuk.'

'U zult geen spijt van deze beslissing krijgen. We hebben mooie foto's gemaakt.'

Ze leggen me uit hoe ze verder te werk gaan. De komende weken komen eerst de contactafdrukken. Die zal ik samen met hen doorkijken en dan beslissen we welke foto's ik in welk formaat wil.

'Oké, dan kom ik na de eerste operatie langs.'

Ik voel weer een steek in mijn maag. Dan zal alles volledig anders zijn.

Ze wensen me nog het allerbeste voor de operatie en lopen mee naar de deur.

Enigszins verward verlaat ik de winkel. Dat waren heel wat indrukken en het besef op het eind bracht weer een kleine schok teweeg. Overdag vergeet ik vaak waarom ik mag uitslapen en dingen doe als naar de fotograaf gaan. Dat is misschien maar goed ook.

Nog zeven dagen. Vandaag heb ik me voorgenomen naar de uitkeringsinstantie te bellen over de vergoeding. Weer. Maar eerst moet ik dringend een voetenbad op eBay kopen. 's Winters heb ik vaak koude voeten, die ik meestal alleen door te sporten warm kan krijgen. Dit witte plastic ding met massage- en bubbelfunctie lijkt me dus perfect om mijn koude voeten te verwarmen als ik niet mag sporten. Het ding staat nu op 14,78 euro, daar kan ik me geen buil aan vallen. Ik bied iets meer dan 17 euro als de telefoon gaat. Het is Conny, die ook lerares is.

'Hoi, Evelyn, ik ben op weg naar school. Heb je zin om vanmiddag samen te gaan lunchen?'

'Ja, natuurlijk, waarom niet?'

'Om halftwee in Oma's Keuken?'

'Prima.'

'Tot dan.'

Fijn om te merken hoeveel mensen ook doordeweeks steeds weer aan me denken. Opgefleurd door dit telefoontje besluit ik meteen de uitkeringsinstantie te bellen. Ik kijk op het scherm en zie dat de veilig nog langer dan een uur duurt. Bovendien is de aandrang om een voetenbad te kopen ook niet zo waanzinnig groot.

'Mijn' ambtenaar kent me onderhand. Ze is aardig en doet altijd haar best voor mijn aanvragen. Vandaag krijg ik haar direct te pakken. Helaas kan ze me nog niets precies zeggen. Ze heeft wel intussen de papieren van de geneeskundige dienst ontvangen, zegt ze. Dat is goed. Nu kan het niet lang meer duren voor de vergoedingskwestie is geregeld. Opgelucht hang ik op. Ik heb nog tijd genoeg voordat ik actie onderneem voor het voetenbad. Er zijn geen nieuwe bieders meer. Ik loop naar het raam en kijk naar de binnentuin. De grote den is zomers groen, maar de fruitbomen hebben hun bladeren al voor de helft laten vallen. De natuur bereidt zich duidelijk op de winter voor. Dat past bij mijn stemming.

'Zeg, heb je eigenlijk al reacties gekregen op de e-mail van Tino?'

Ik zit met Conny bij Oma's Keuken aan de lunch. Tino heeft enkele dagen geleden een e-mail rondgestuurd naar onze vrienden, waarin hij de precieze data van de operaties doorgeeft en iedereen vraagt me in München te bezoeken.

'Geen idee, ik heb hem er nog helemaal niet naar gevraagd.'

'Ik heb met Klaus voor de tweede operatie meteen een hotel geboekt. Ik wilde al een tijdje weer eens naar München. Dan maken we er meteen een weekendje van. We kunnen dan elk moment bij je zijn.'

Dat is fijn. Ik heb me om niets zorgen gemaakt. Tino regelt het allemaal goed. Ik zou nooit op het idee zijn gekomen om iedereen een e-mail te sturen. Ik heb geen idee hoe het met me zal gaan, of ik wel bezoek wil en zo. Hij heeft wel gelijk. Het is zeker niet verkeerd als er steeds iemand in de stad is die ik goed ken. Dan kan hij ook eens naar huis. Hij moet tenslotte ook nog werken.

'Komen er genoeg mensen?'

'Ja, ik denk het wel. Voor de eerste operatie komen in elk mijn broer, mijn zus en Anna. Voor de tweede operatie komen Elke en Uli. En dan nog jullie twee.'

'Mooi zo, dan is er altijd iemand.'

Een medepatiënte en Lorenz uit Schönau zullen ook langskomen. Ik vraag me haast af of het niet te veel is.

'Je zegt gewoon waar je behoefte aan hebt. Als je geen bezoek wilt, is het ook prima. Maar we kunnen helaas alleen in het weekend komen.'

'Hier is de post. Er zit een brief van de uitkeringsinstantie voor je bij.'

Tino komt de trap op en wappert met de envelop. Nog vijf dagen tot de operatie. Ik trek de brief uit zijn hand.

'O o, nu wordt het spannend.'

Ik probeer rustig te blijven en de envelop te openen zonder meteen alles te verscheuren. Het eerste stuk sla ik over. Dan wordt het interessant: 'Geachte mevrouw Heeg... onder verwijzing naar de hierboven vermelde aanvraag delen we u hierbij op grond van het op 4 november 2005 bij het district Breisgau-Hochschwarzwald ontvangen attest van de geneeskundige dienst mee' – man, kom toch ter zake, ik weet zelf echt wel wat ik heb aangevraagd – 'dat de kosten ingevolge de beoogde behandeling in de vrouwenkliniek Dr. Geisenhofer in de Engelse tuin te 80538 München, ten behoeve van een zogenoemde

171

profylactische, tweezijdige mastectomie met aansluitende borst-reconstructie conform § 6, lid 1, nr. 6 en 6a BVO als subsidiabel worden erkend en/of subsidiabel zijn.'

Subsidiabel – heb ik dat goed gelezen? Ha, daar staat dat ze de helft van de kosten vergoeden. We vliegen elkaar in de armen. Ten minste 50 procent is gedekt. Voordat ik te vroeg juich, dwing ik mezelf ook de rest van de brief te lezen. Je kunt nooit weten welke voorwaarden er nog worden gesteld. En nog eens vanaf het begin. Ik vind geen haken of ogen. Ik kan het niet geloven. Tino is in feeststemming, hij is zichtbaar opgelucht. Ik ben ook wel blij, maar merk dat mijn vreugde niet uitzinnig is. Het is de kostenvergoeding van een operatie, niet de hoofdprijs in de lotto. Dat is nog wel een verschil. Toch is het een opluchting om te weten dat de mogelijke financiële ramp iets kleiner zal zijn. Bovendien is het een nieuwtje waar oma morgen vast en zeker blij mee is.

De dekking van de kosten is tot slot ook weer een bevestiging dat wat ik doe het juiste is. Voor een volledig overtrokken reactie mijnerzijds zouden de kosten vast niet worden vergoed. Dat voelt goed. Ik heb nog weer een bewijs gekregen dat anderen mijn aanpak begrijpen.

We zitten in de trein naar Stuttgart. Met zijn tweeën is de trein wel duurder dan de auto, maar het voordeel is dat Tino ondertussen kan werken. Dat kan hij in de auto niet, hij wordt al misselijk als hij kaart leest. Bovendien ga ik graag met de trein. De kortingskaart van 50 procent geeft mij al een gevoel van vrijheid, ook al slagen de spoorwegen er eigenlijk altijd in om me flinke vertraging te bezorgen als ik onderweg ben. Vandaag is Tino erbij en hij heeft een betere treinaura, alles gaat volgens plan. Nog vier dagen voor de eerste operatie.

Ik kijk uit naar het bezoek. Sinds ze voor de tweede keer bloed heeft gegeven, is alle spanning tussen oma en mij verdwenen. Ze laat nu zelfs merken dat ze trots is op de manier waarop ik met de situatie omga.

Rond de lunch komen we aan in het huis aan de Sonnenberg. Ik heb om broodballetjes in tomatensaus gevraagd en het huisje ruikt helemaal naar tomaten. Dit is een gerecht dat ik zelf nooit klaarmaak. De tomatensaus wordt gegarandeerd van verse tomaten gemaakt. Zo georganiseerd als ze is, maakt oma in de zomer een voorraadje saus, die ze in de gigantische vrieskist bewaart. We eten er een groene salade bij en drinken, zoals altijd, witte wijn met spuitwater. Daarop trakteert ze zichzelf elke middag.

Er is veel te vertellen. Over de kostenvergoeding, maar ook over onze vakantie. Na het eten pakt Tino de laptop en laten we oma onze foto's van Mallorca zien. Ik laat haar altijd mijn vakantiefoto's zien, maar vandaag toont ze wel heel veel belangstelling. Opvallend veel. Op een bepaald moment onderbreekt ze ons en zegt ze: 'Wacht eens even.'

Ze komt terug en zwaait met een tijdschrift.

'Evelyn, kijk eens naar deze lezersreis. "Amandelbloesem op Mallorca." Ik denk erover om me aan te melden. Ik heb al aan een kennis gevraagd of ze mee wil gaan.'

Ik ben enthousiast en zeg haar dat ook. De reis voert langs alle mooie stadjes op het noordelijke deel van het eiland. Bovendien is de bloeiperiode van de amandelbomen een echte belevenis. In Duitsland is de natuur op dat moment nog helemaal grauw, maar op Mallorca is het voorjaar met zijn kleurenpracht dan al op zijn mooist.

Oma knikt bij wat ik vertel. 'Ik vind ook dat de reis heel aantrekkelijk klinkt. Ik zal de beschrijving bewaren. Op dit moment kan ik me toch nog niet aanmelden.'

'Waarom niet?'

'Evelyn, de reis is eind februari. Dat is nog ver weg. Wie weet hoe het dan met me gaat.'

Wat is dat nou?

'Je kunt toch een annuleringsverzekering afsluiten. Dan heb je zeker een plaats en een prachtig reisdoel voor ogen. Voorpret is ook belangrijk.'

Oma kijkt me onderzoekend aan. 'Denk je dat ik dat aankan? Met dat vliegen en het vliegveld en alles?'

Tja, eerlijk gezegd zou ik het wel dapper vinden. Het vliegveld van Palma is gigantisch groot, maar daar rijden altijd van die elektrische wagentjes rond; daar kunnen ze oma gemakkelijk mee rondrijden. Bovendien zijn ze daar vooral op oudere reizigers ingesteld. Als wij in februari op Mallorca zijn, zie je er in elk geval alleen maar fietsers en bejaarden.

'Natuurlijk, hier in Stuttgart word je naar het vliegveld gebracht. Vervolgens helpt de reisleiding. En je vriendin is er ook nog bij. Wat zegt zij ervan?'

'Als het aan haar lag, hadden we allang geboekt.'

Ik moedig haar nog eens aan. Ik kan me met de beste wil van de wereld niet voorstellen dat oma de komende drie maanden zo achteruit zou gaan dat ze het niet aan zou kunnen. Begin januari heeft ze nog een andere reis geboekt, ook een oude droom: een reis door de Zwitserse bergen met de Glacier Express. Fantastisch, dat ze op haar vierentachtigste nog zoveel onderneemt.

We gaan verder met onze diashow op de laptop. We kijken nu steeds meteen of en wanneer oma deze highlights tijdens haar reis zal zien.

De volgende morgen zitten we weer in Freiburg aan het ontbijt. Het is zondag. Nog drie dagen voor de operatie. Het bezoek aan oma gisteren was erg fijn. Nadat we samen koffie hadden gedronken, zijn we naar het station gegaan. Ik wilde graag nog even door de Königsstraat slenteren en jeugdherinneringen ophalen.

We hebben alweer met oma afgesproken voor de kerstdagen. Ik schenk nog eens thee in en schud mijn hoofd.

'Het duurt nog minder dan twee maanden tot tweede kerstdag. Tegen die tijd ben ik al twee keer geopereerd. Echt vreemd.'

'Ja, maar ik vind het wel goed. Hoewel ik eerst wat twijfels had, ben ik nu blij dat het zo snel gebeurt. Wat staat er vandaag op het programma?' vraagt Tino.

'Niks bijzonders. Ik wil graag een eindje fietsen. Misschien wil er nog iemand anders mee?'

Het wordt geregeld: Bernd en Oli gaan mee. We hebben om twaalf uur afgesproken.

De voorbereidingen voor het fietsen verlopen bij mij altijd op dezelfde manier. Eerst zoek ik alle fietskleren uit en leg ze op bed. Dan kleed ik me helemaal uit en laag voor laag weer aan. Op weg naar de slaapkamer kom ik langs de grote spiegel op de gang. Vandaag blijf ik er even naakt voor staan.

Hoe zal het straks zijn na de operaties? Eén trieste boel of helemaal niet erg? Misschien is het wel ondraaglijk? Zal ik mijn spiegelbeeld vermijden? Iets in mij zegt, kijk nu maar niet zo goed, dan is het straks niet zo erg. Ik weet dat het nergens op slaat. Hoe het er ook zal uitzien, ik heb het maar te accepteren. Anders wordt het leven onmogelijk. Maar moet ik dit beeld van mezelf in de spiegel echt vasthouden? Helpt dat? Of maakt dat alles nog erger?

Maandagochtend. Nu duurt het niet lang meer. De laatste dag in Freiburg. We zijn klaar met het ontbijt en Tino verdwijnt in de werkkamer. Ik ruim het huis op. De laatste sporen van de vakantie wegwerken. Alleen het strijkgoed stapelt zich op. Bovenop liggen mijn nieuwe nachthemden, speciaal gekocht voor de operatie. Die kan ik meteen inpakken. Mijn grote tas heb ik na de vakantie niet meer naar zolder gebracht. Steeds als ik iets in handen krijg dat ik mee moet nemen naar het ziekenhuis, verdwijnt het in de tas.

'Er is post van de zorgverzekering!'

Tino is naar beneden geweest en heeft de brievenbus geleegd. Nu staat hij opgewonden in de gang.

Goed, laten we eerst maar eens kijken of het net als de vorige keren gaat. Toen hebben ze zich steeds aangesloten bij de beslissing van de uitkeringsinstantie.

Ik scheur de envelop open en Tino gaat achter me staan om over mijn schouders te kijken. 'En?'

'Bingo! Ze vergoeden het ook. Dat is nog eens goed nieuws!'

De rest van de dag houd ik me bezig met de voorbereidingen. De vrouw van het internetbedrijf had gezegd dat het pakket met de compressiebroeken vandaag komt. Plan C zou zijn om de broeken direct naar het ziekenhuis te sturen, maar de vrouw was ervan overtuigd dat ze vandaag zouden komen. De dag verstrijkt zonder dat er iets gebeurt. Het pakketje komt echter met de pakketdienst en de bezorger, een vriendelijke, magere, oudere man, komt altijd pas tegen de avond.

Alles verloopt moeizaam. Ik zou liever al naar München gaan. Natuurlijk moet ik nog van alles inpakken, maar daar vul ik de dag niet mee. Ik kan nog wel fysiotherapie doen want dat gaat met apparaten, zodat ik er alleen heen hoef te gaan en mijn programma hoef af te draaien. Sinds ik weet dat de operaties eraan komen, probeer ik borstspieren op te bouwen, zodat het voor de chirurgen gemakkelijker is om mijn klierweefsel te verwijderen. Als er meer borstspieren aanwezig zijn, kan namelijk gemakkelijker worden bepaald wat weg moet en wat niet. 's Middags vertrek ik dus naar de fysio.

's Avonds komt inderdaad het pakket met de compressiebroeken. De bezorger belt na negen uur en ziet er nu zo mager uit dat ik hem het liefst wat van ons avondeten zou aanbieden. Ik pak het pakket uit en bekijk het spul. Die dingen zijn echt afschuwelijk. We doen een kleine test en moeten hard lachen. Het ziet er echt vreselijk uit! Eén ding is zeker, ik hoef deze winter geen kou te lijden. Vaak wordt in de winter de achterkant van mijn bovenbenen koud; dit jaar zal dat niet gebeuren. Nu kan ik de broek nog niet helemaal sluiten. Daarvoor moet mijn achterwerk nog wat kleiner zijn. Dat staat dan ook voor overmorgen op het programma. Ik was de twee broeken snel op de hand en hang ze aan de lijn te drogen.

Vanmiddag is het zover. Ik moet om vijf uur in het ziekenhuis zijn en we willen rond de lunch vertrekken. De tas is 's morgens al grotendeels gepakt. Er wordt aangebeld.

Tino roept vanuit de werkkamer: 'Verwacht jij nog iemand?'

'Eigenlijk niet,' roep ik terug en ik druk op de deuropener.

Ik kijk naar beneden in het trappenhuis en zie een koerier. Een klein pakketje uit Nederland. Dat is vast voor Tino, hij werkt tegenwoordig veel voor een uitgeverij in Amsterdam, bedenk ik.

'Een pakje, waarschijnlijk voor jou. Het komt uit Nederland. Hier.'

Tino werpt een snelle blik op het pakje. 'Dat is niet voor mij. Maak open!'

Hé, het is de lang verwachte compressiebroek van internet, die we ruim zes weken geleden hadden besteld. Ik laat hem Tino zien.

'Die ziet er beslist beter uit dan die modellen met die haken en ogen.'

Hm, vind ik ook.

Tino grijnst. 'Dan heb je nu keus genoeg.'

'Zeker. Deze levering was echt net op tijd.'

HOPELIJK TOT MORGEN

We naderen München. Ik bereid me voor op mijn rol als levend navigatiesysteem. De uitdraai van de routeplanner ligt op mijn knieën, daarnaast ligt de autokaart. De eerste afritten passeren we gewoon. Pas na München Blumenau moet ik goed opletten.

'Sorteer maar alvast rechts voor, we moeten er bijna af.'

Daarna moeten we volgens de routeplanner meteen weer linksaf. Ik kijk op de wegenkaart, dat klopt in elk geval in theorie. Tino zet zijn richtingaanwijzer aan en neemt de afrit.

'Hier kan ik niet linksaf.'

Nee, hè! We kunnen mijn route niet volgen: je kunt inderdaad alleen naar rechts. Daardoor zijn we nu wel op de ring beland, maar in de verkeerde richting. Ik vloek. We hebben niet veel tijd meer en het begint ook al te schemeren. Daar heb ik echt geen zin in. In elk geval heeft een ring wel het voordeel dat je uiteindelijk ook vanaf de andere kant op je plaats van bestemming komt. Om vijf uur is onze afspraak met dokter Feller. Spitsuur in München, dat is al een aardige uitdaging als je de weg niet kent.

'Daar komt een afrit! Zal ik die nemen?'

Tino is opgewonden. Ik staar gespannen op de borden, maar ze zijn te klein en er staat van alles op. Dat kan ik zo snel allemaal niet op de kaart terugvinden.

'Blijf maar liever gewoon op de ring.'

Zolang München nog op de borden staat, zitten we niet helemaal verkeerd. Daar, het olympisch terrein! Nu weet ik waar we zijn en in welke richting we moeten. In het handschoenenvak ligt een lampje voor als we bandenpech hebben in het donker. Ik pak de lamp, want het is te donker om nog iets te zien. Dan gaat ook nog eens mijn mobiel. Een nummer uit Freiburg dat ik niet thuis kan brengen. Ook geen naam op het scherm, vreemd.

'Ja?'

'Hallo Evelyn, met Sandra!'

Het is een bevriende arts. We bellen niet zo vaak met elkaar, daarom staat ze niet in het adresboek van mijn telefoon.

'Ik ben morgen eerder vrij, heb je tijd om koffie te gaan drinken?'

'Sandra, we zijn net in München. Ik ben al op weg naar het ziekenhuis, morgen is de eerste operatie.'

Het is even stil aan de lijn.

'O, dat was ik helemaal vergeten. Is het al zover?'

'Ja, maar ik kan nu niet bellen, want we zitten op de ring en ik moet Tino naar het ziekenhuis loodsen.'

'Oké, natuurlijk. Dan wens ik je het allerbeste voor morgen.'

Ik hang op en concentreer me weer op de wegenkaart. Tino vindt het niet bepaald grappig dat ik de telefoon opneem terwijl we rondrijden op de ring van München.

'Voor anderen is morgen een heel normale dag,' zeg ik. Dat is natuurlijk niet echt verwonderlijk, maar voor mij is het even heel onwerkelijk.

'Daar is het Hilton,' zegt Tino plotseling. Voor ons duikt het verlichte bord op.

We weten dat het hotel maar een paar straten van het ziekenhuis vandaan ligt, want op de website van het ziekenhuis wordt het als mogelijk logeeradres voor familieleden genoemd. Dat wil zeggen, voor familieleden die er warmpjes bij zitten.

Hier moeten we er ergens af. Daar! Ik waarschuw Tino en hij slaat af. Nog twee hoeken om en dan zijn we met een klein halfuur vertraging eindelijk in het ziekenhuis.

'Goedenavond, ik ben hier voor een operatie bij dokter Feller. Mijn naam is Evelyn Heeg.'

Terwijl ik aan de receptie sta, sjouwt Tino mijn gigantische tas door de hal. De vrouw achter het glas verzoekt me in de hal te gaan zitten. Onze vertraging schijnt niets uit te maken. Ook goed.

Het ziekenhuis is voor een deel in een prachtige villa ondergebracht. Ook de hal is indrukwekkend, alleen het cafetaria verraadt dat we in een ziekenhuis zijn. En natuurlijk de patiënten. Tot nu toe heb ik echter alleen nog maar dolgelukkige moeders met hun pasgeboren kind gezien. We kiezen twee troonachtige stoelen in de hoek uit. Tino zet onze bagage ernaast en de ietwat gehavende reistas ziet er hier nogal armoedig uit. Ik word al snel weer bij receptie geroepen om de gebruikelijke formulieren in te vullen. Daar ben ik een paar minuten mee bezig, die echter wel uren lijken. Na een tijdje duikt er een verpleegster op die ons naar de eerste verdieping brengt. Wat een service! Je merkt wel dat dit niet zomaar een doorsnee ziekenhuis is. Als we uit de lift komen, lopen we door een ruime gang die in een vriendelijke crèmekleur is geverfd. Hoewel het overal naar venkelthee ruikt, is het hier toch heel aangenaam. Mijn kamer is een tweepersoonskamer. De andere patiënte groet ons kort als we binnenkomen. De verpleegster legt me uit waar mijn kast is, ze toont me de badkamer en vraagt me dan om me klaar te maken om naar bed te gaan. Pardon? Het is net zes uur 's avonds! Ik heb al uren niets meer gegeten, wat moet ik in bed?

'U bedoelt dat ik nu in mijn kamer moet blijven?'

'Nee, u moet zich uitkleden. U krijgt straks nog een heparine-injectie, de anesthesist komt langs om u wat uitleg te geven over de narcose en dokter Feller komt ook nog.'

Voordat ik kan protesteren, is ze al weg. Waarom moet ik dat allemaal in pyjama ondergaan? De anesthesist kan toch ook aan tafel met me praten? En wat dokter Feller ook van plan is met me, hetzelfde geldt voor hem. De injectie tegen trombose kunnen ze me trouwens best besparen, ik ben tenslotte de hele dag op de been geweest. Verward kijk ik Tino aan, maar hij haalt alleen verbaasd zijn schouders op.

Dan zegt mijn buurvrouw: 'Ik weet hoe je je voelt, bij mij ging het ook zo. Doe maar gewoon wat ze zeggen, het komt wel goed.'

Zo had ik me de avond toch niet voorgesteld. In de auto hadden we nog bedacht dat we naar een goed restaurant zouden gaan om deze laatste avond op passende wijze door te brengen. Maar nu al naar bed? Terwijl ik af en toe nog problemen met slapen heb? Ik voel een lichte paniek opkomen. Deze nacht kon wel eens eindeloos worden. Niet aan denken nu. Ik probeer de gedachte te verdrijven. Ik heb het koud. Waarschijnlijk een combinatie van een lege maag en angst. Zal ik nog een douche nemen? Dat zal voorlopig vast niet meer zonder problemen gaan. Maar ik ben vanochtend thuis uitgebreid in bad geweest met alles erop en eraan. Ik besluit het niet te doen. Misschien komt dan net een van de artsen binnen. Ik trek een van mijn nieuwe pyjama's aan en ga wat hulpeloos op het bed zitten. Al snel merk ik dat het zo te koud is en ik ga met de nodige tegenzin onder de dekens liggen. Waar ben ik aan begonnen? Gezond in bed gaan liggen om er beslist niet meer zo gauw uit te komen. Maar wat is gezond?

Ik word door de vrolijke stem van dokter Feller uit mijn gedachten opgeschrikt. 'Hallo, mevrouw Heeg! Heeft u een goede reis gehad?'

'We zijn in München verkeerd gereden, maar los daarvan is alles goed gegaan.'

'Is de anesthesist al langs geweest?'

Ik zeg van niet.

'Hij zal later nog komen en het een en ander over de narcose met u bespreken. Ik zal nu uw lichaam markeren. Kunt u even gaan staan en uw broek iets omlaag trekken?'

Ik spring uit bed terwijl dokter Feller een dikke markeerstift uit zijn doktersjas haalt. De arts knielt achter mij.

'Ik teken nu met een watervaste stift waar we morgen gaan snijden. Dat zal onder andere in uw rechterbil zijn.'

Geïrriteerd probeer ik over mijn schouder te kijken. Riskante methode, zomaar met een markeerstift op me zitten tekenen. En morgen? Niet over nadenken, hij zal wel weten wat hij doet.

'Zo, dat was het al.' Hij leidt me naar de spiegel en ik kan een sikkelvorm op mijn rechterbil zien. 'Kijk, we zullen morgen dit stuk verwijderen. Vervolgens zorgen we ervoor dat we de bloedvaten weer boven bij de borst kunnen aansluiten. Op uw borst hoef ik helemaal niets te markeren. Dat is duidelijk. We halen de tepel weg en verwijderen dan het borstweefsel via deze opening. Dan plaatsen we daar het transplantaat en verbinden de bloedvaten met elkaar. Maar dat zult u allemaal niet merken. U zult heerlijk slapen.'

Hij glimlacht me opbeurend toe, wil weten of ik nog vragen heb en zegt me ten slotte gedag. Het is me allemaal wat te veel op dit moment. Hopelijk komt de anesthesist snel, dan is dat tenminste achter de rug. Tino moet zo langzamerhand aan eten denken, het is al bijna zeven uur. Dit alles gaat ook hem niet in de koude kleren zitten, hij ziet er wat bleek uit. Bovendien moet hij nog inchecken in zijn hotel. Hij heeft zijn stadsfiets in de auto gegooid, zodat hij nu meteen op de fiets kan springen. Hoewel het koud is, is de fiets het beste vervoermiddel in de binnenstad van München.

'Is het ver naar je hotel?'

Hij schudt zijn hoofd. 'Nee, ik moet hier dwars door de Engelse tuin en dan misschien nog 2 kilometer tot aan het station. Daar is het. Ik heb al gekeken op de plattegrond.'

Ik wilde vanavond eigenlijk ook nog een rondje wandelen. In plaats daarvan zit ik hier nu in mijn pyjama. Het is nu eenmaal zo. We besluiten dat het beter is dat Tino naar zijn hotel. Hij belt nog een keer als hij in zijn hotel is aangekomen. Ik moet slikken. Tot morgenmiddag. Hopelijk.

Ik kruip weer onder de dekens. Ik ben niet in de stemming om te praten, maar ik wissel toch een paar woorden met mijn buurvrouw. Ze vertelt me dat ze alles al achter de rug heeft. Ook een mastectomie met reconstructie. Alleen werd bij haar het vetweefsel uit haar buik gehaald. 'Alles is fantastisch gegaan. Vandaag ben ik zelfs al gaan winkelen.' Ze laat me haar laarzen en bijpassende rok zien. Een welkome afleiding.

'Wat wil de anesthesist eigenlijk nog van me?'

'In feite alleen een handtekening en je vertellen over de bijwerkingen. Je hoeft je er geen zorgen over te maken.'

Dat is goed. Het belangrijkste is dat niemand meer wat van me wil. De bijwerkingen, dat zullen wel de gebruikelijke dingen zijn. Ik wil er natuurlijk geen last van krijgen, maar dat kan uiteraard niemand me garanderen. Ik zal gewoon mijn handtekening zetten. Nu kan ik toch niet meer terug.

Even later komt de anesthesist binnen en daarmee is het laatste punt afgehandeld. Als hij weer gaat, is het net acht uur. 'Vind je het goed als ik het journaal aanzet?' vraagt mijn buurvrouw.

Geen probleem, ik kan nu toch niet lezen.

Steeds komt de vraag bij me op of ik wel zal kunnen slapen, maar terwijl ik me op het journaal probeer te concentreren, merk ik dat mijn ogen dichtvallen. Later merk ik nog even dat het journaal allang is afgelopen en een of andere film aan de gang is. Ik draai me op mijn andere zij en de film is ook alweer weg. Over het slapen had ik me geen zorgen hoeven te maken.

TERUG IN DE VERKOEVERKAMER

Als ik in het ziekenhuis kom, is Evelyn al in de operatiezaal. Haar kamergenote mag vandaag naar huis en ze zit met haar koffers te wachten. Haar man laat via zijn werk een auto met chauffeur komen. Een Audi A8, zoals ze met enige trots vertelt. Evelyn is vanochtend stipt op tijd afgehaald, vertelt ze me. Ik pak mijn werk en begin te redigeren. Op een gegeven moment zegt de vrouw gedag, later kijkt er af en toe een verpleegster naar binnen, zoekt iets of biedt me een krant aan. Tegen de middag loop ik door de Engelse tuin in de richting van de wijk Schwabing om een broodje te halen. Als ik terug ben, kan ik me niet meer concentreren. Rond deze tijd heb ik altijd een dipje. Het is inmiddels bijna twee uur; Evelyn zou dus al bijna uit de operatiezaal naar de verkoeverkamer kunnen worden gebracht. Ik haal een beker thee op de gang en informeer bij een verpleegster. Nee, nog geen spoor van mevrouw Heeg.

Het tweede bed in Evelyns kamer is nog niet opnieuw bezet. Daarom kan ze nu naar de betere plaats aan het raam verhuizen. Vanaf die plek zie je liggend een groot gedeelte van de lucht en de toppen van wat bomen. Dat zal haar de komende dagen hopelijk wat helpen, denk ik, terwijl ik naar buiten kijk.

Dat wachten werkt me zo langzamerhand goed op de zenuwen. Ik heb niet veel trek, zoals altijd als ik nerveus ben, en kauw lusteloos op mijn broodje. Ik zal er straks wel last van krijgen, maar nu krijg ik gewoon niets door mijn keel. De lege ziekenhuiskamer komt erg doods over. De kamer is eigenlijk heel aardig ingericht, afgezien van de voorspelbare zaken als het onderhoudsarme zeil in dubieus lichtgrijs en allerlei technische aansluitingen boven de bedden. Verder ziet het er heel stijlvol uit, een geslaagde combinatie van een oud gebouw met gerenoveerde onderdelen, zoals de badkamer. Als ik voor het grote raam ga staan, kan ik de Engelse tuin zien; direct onder de kamer ligt een grasveldje en middenin staat een den. Alles is beslist erg mooi hier. Maar eigenlijk wil ik nu alleen maar weten wanneer Evelyn in de verkoeverkamer verschijnt. Ik kijk op de klok, bijna drie uur, en nog steeds niets. Ik klop zacht op de deur van de verkoeverkamer, maar de dienstdoende verpleegster, een stevige vrouw met een licht Oost-Europees accent, schudt haar hoofd. Geen mevrouw Heeg te bekennen. De operatie zou toch ongeveer zeven uur duren? Als ze vanochtend stipt begonnen zijn, zouden ze nu allang klaar moeten zijn. Gaat er iets mis?

Een dik uur later komt er eindelijk beweging in de zaak. Evelyns bed wordt uit de kamer gehaald om naar de operatiezaal te worden gebracht. Ze zal dus bijna klaar zijn.

Ik hang nog eens twintig minuten rond op de kamer en probeer tevergeefs een paar bladzijden te redigeren, maar dan loop ik naar de verkoeverkamer. Ja, de verpleegster laat weten dat ze er nu is. Ze ligt inderdaad linksachter tegen de muur van de kamer. De ruimte is niet bijzonder groot, bijna vierkant en er staan vier bedden in. Er is nog een zijkamer, maar op dit moment zie ik alleen mijn vrouw, die onder een enorme deken en aan allerlei slangetjes en snoeren ligt. Naast haar staan verschillende apparaten, die nauwgezet piepen, blazen en andere geluiden maken. Ik zoek voorzichtig een plek naast haar bed en kijk haar onderzoekend aan. Ze is nog buiten kennis. Dat denk ik in elk geval. Slapen ziet er toch anders uit. Geen idee waarom. Haar gezicht is wat gezwollen en glimt licht van het zweet. Een apparaat aan het voeteneinde van het bed blaast door een haast belachelijk dikke slang hete lucht onder Evelyns deken. Niet dat het hier binnen bijzonder koud is; integendeel, het is plakkerig en warm. Ik voel dat het zweet me uitbreekt. Naast het hoofdeinde staat de bewakingsmonitor voor polsslag, bloeddruk, hartslag en Joost mag weten wat. Het zwarte kastje is druk aan het piepen, maar de verpleegsters zijn er niet bepaald van onder de indruk. Evelyns polsslag ligt voortdurend boven de honderdtwintig. Dat is naar mijn idee nogal veel, tenslotte heeft ze in rusttoestand eigenlijk een polsslag van iets onder de vijftig. Een polsslag van honderdtwintig hebben we als we met 25 kilometer per uur op de fiets zitten. Haar lichaam moet duidelijk hard werken.

Dit stelt me allemaal niet gerust. Bovendien voel ik een misselijkheid opkomen, want mijn maag is eigenlijk zo goed als leeg. Langzaam begrijp ik dat mijn bloedsuikerspiegel erg laag wordt. Als ik niet uitkijk, ga ik hier in de verkoeverkamer gewoon van mijn stokje. Flauwvallen is een van mijn specialiteiten, die ik graag uitoefen als ik op nuchtere maag bloed moet laten prikken. Of bij mijn eenmalige poging om bloed te doneren. Na afloop lag ik nog uren schijndood op de ligstoel en voelde ik me hondsberoerd. De mensen van het Rode Kruis moesten me met bouillon en cola weer op de been krijgen. Daarna heb ik nooit meer een poging gedaan.

Met enige moeite ga ik weg bij Evelyn en zeg tegen de verpleegster dat ik buiten wacht. Ze kijkt me wat bezorgd aan, ik zie waarschijnlijk lijkbleek. Ze zegt alleen: 'Ja, gaat u maar even een luchtje scheppen.'

Buiten zie ik meteen dokter Heckmann. 'Alles is in orde, meneer Heeg. Toen we de bloedtoevoer hadden hersteld, is het transplantaat meteen aangeslagen.' Hij lacht me even opbeurend toe en gaat dan gehaast verder.

Dat is goed nieuws! Mijn misselijkheid zakt weg, ik haal wat te eten uit de kamer en loop nog een rondje om het ziekenhuis. De operatie heeft minstens acht, waarschijnlijk zelfs negen uur geduurd, bereken ik. De eerste drie dagen zijn de meest kritische als het gaat om mogelijke afstoting van het transplantaat. Laten we hopen dat dat niet gebeurt! Wat een ramp zou dat zijn – dan is alles voor niets geweest. Ik besef hoe familieleden zich na de transplantatie van vitale organen moeten voelen. Dat is natuurlijk niet helemaal vergelijkbaar, want dan gaat het vaak om leven of dood, maar ik krijg een indruk van hoe ellendig die eerste uren na zo'n lange operatie moeten voelen.

Een halfuur later is Evelyn al bij kennis. De verpleegster laat haar net een glas water drinken met een rietje, want ze mag haar armen nog niet bewegen.

'Wilt u een koud washandje op uw voorhoofd?'

Evelyn knikt zacht. Ik ga weer aan haar bed zitten, aan de kant waar de minste apparaten staan, en we kijken elkaar kort aan. Dan brengt de verpleegster de verkoeling en Evelyns ogen vallen meteen weer dicht, ze slaapt onmiddellijk. Haar polsslag is gedaald, hij schommelt nu rond de negentig. Het ziet er nu ook meer als slapen uit. Blijkbaar is alles in orde. De verpleegster maakt zich in elk geval meer zorgen om mij dan om Evelyn. 'Gaat het weer met u? Ja, u ziet er wat beter uit.' Waarschijnlijk heeft ze ervaring met mannen die niet tegen bloed kunnen, hoewel hier in de wijde omtrek geen druppeltje bloed te zien is.

's Avonds ben ik steeds weer bij Evelyn, die langzaam bijkomt en op een zeker moment ook aanspreekbaar is.

'Hoe gaat het?'

Hm, niet echt een originele vraag.

'Warm,' zegt ze zacht met nogal hese stem. 'Een beetje keelpijn,' voegt ze er nog aan toe.

De verpleegster legt uit dat dat door de beademingsslang komt. Niets ernstigs dus, al is het vervelend.

Ik haal vers water en houd het rietje in haar mond. Er hangen verschillende zakjes aan mijn kant van het bed. Een blaaskatheter vangt urine op en vier of vijf plastic flessen voeren bloed en ander wondvocht af uit de wonden van haar achterwerk en de nieuwe borst.

De verpleegster kijkt af en toe kritisch naar het zakje met urine en op de flessen markeert ze regelmatig de hoeveelheid. Bovendien tilt ze geregeld de deken op om te controleren hoe de geopereerde borst eruitziet. Ik heb plaats voor haar gemaakt en sta te ver weg om iets te zien. Dat is misschien maar goed ook, want ik weet niet of ik vandaag nog veel aankan. Ik heb natuurlijk geen idee hoe de borst er na de operatie uitziet. Volledig in het verband? Of bloot, maar pimpelpaars van de bloeduitstortingen? Opgezwollen tot een enorme borst? Aan zulke vragen denk je niet tijdens de voorbesprekingen. Waarschijnlijk zou ik ze toch niet gesteld hebben. 'Hoe zien de borsten er eigenlijk onmiddellijk na de operatie uit?' Dat klinkt toch belachelijk? In elk geval zal de borst geen tepel hebben, dat staat vast. Dat zal er wel merkwaardig uitzien. Het is maar beter als ik het vandaag niet zie!

Het is intussen donker en ik begin trek te krijgen. Evelyn zal de nacht in de verkoeverkamer doorbrengen. Ik ga naar een restaurant om de hoek en bestel iets. Daarna ga ik nog even bij haar zitten, maar ze ligt alweer te slapen in de verduisterde kamer. Goed zo, denk ik. Ook haar pols is weer wat gezakt en schommelt nu rond de zeventig slagen. Ik weet niet of dat iets te betekenen heeft, maar mij geeft het een goed gevoel. Ik zucht, alles lijkt goed te zijn gegaan. De verpleegster zegt me nog dat ze pas morgenochtend naar haar kamer gaat, vannacht blijft ze nog hier. Dat is geruststellend. Buiten stap ik op

189

mijn fiets en ik rijd door de nachtelijke Engelse tuin in de richting van het station, waar mijn lowbudgethotel ligt. Ik ben uitgeput, maar ook optimistisch. Eens zien hoe het morgen met haar gaat.

IK HEB HET WARM

Het is warm, erg warm. En het is aardedonker. Ik probeer mijn gedachten te ordenen. Waar ben ik? Op de achtergrond hoor ik iemand op een toetsenbord tikken. Ik besluit mijn ogen te openen. Dat zou eigenlijk vanzelf moeten gaan. Maar zo gemakkelijk is dat op dit moment niet. Mijn oogleden voelen zwaar aan, waarschijnlijk zijn ze opgezwollen. Het lukt me mijn ogen een paar seconden te openen, maar ik moet me eerst oriënteren. Heel langzaam begint het me te dagen. Ik lig in het ziekenhuis. Tino werkt op zijn laptop. Maar waarom heb ik het zo warm? Ik lig er roerloos bij, ik weet niet of ik me eigenlijk mag bewegen. Ik wil Tino laten weten dat ik wakker ben, maar stoot alleen wat rasperige klanken uit. Ik heb kennelijk al een hele tijd niet gepraat.

'Hé, ben je wakker?'

'Wakker? Ik weet het niet, ik heb het warm.'

'Dat is niet zo gek. Je ligt ook onder een elektrische deken!'
Dat is waar, de verwarmingsdeken die moet voorkomen dat het transplantaat afsterft.

'Zal ik een koud washandje op je hoofd leggen?'

'Ja. En wat te drinken alsjeblieft.'

Tino legt het washandje op mijn hoofd en houdt een glas met een rietje voor me. Ik drink gulzig. Dat doet me goed.

'Ben ik al wakker geweest?'

'Ja, steeds heel even. Maar je was nog niet zo helder als nu.'

Erg helder voel ik me nu anders ook nog niet. Praten kost me nog veel moeite. Ik merk hoe mijn oogleden dichtvallen. Het koele washandje op mijn voorhoofd is fijn. Ik probeer me op mijn lichaam te concentreren. Mijn rechterbil is geopereerd. Dat weet ik. Ik voel alleen nog niet echt iets. Alles voelt hetzelfde aan. Mijn lichaam is helemaal ontspannen, maar ook wat levenloos. Alsof het in watten is ingepakt. In mijn borst zal ik helemaal niets meer voelen. Ik merk dat ik langzaam weer in slaap val.

Er gebeurt iets met mijn deken. Hoe ging dat ook al weer? Ogen openen. O, een verpleegster.

'Hallo, hoe gaat het met u?'

De deken wordt even gelucht.

'Uw man brengt u zo meteen een fris washandje. Ik kijk even naar het transplantaat. Ik kom elk uur langs en kijk dan of alles in orde is. Het ziet er goed uit. Alles is goed doorbloed. Prima.'

Ik neem nog een slok met het rietje en voel me alweer uitgeput. Eigenlijk zou ik willen weten of de verpleegster echt elk uur is langsgekomen. Maar daar heb ik op dit moment geen kracht meer voor.

Ik word weer wakker, deze keer door Tino. 'Evelyn, wakker worden, je middageten komt zo.'

Middageten? Is het dan middag? Welke dag is het eigenlijk vandaag? Eerst weer mijn ogen opendoen. Die vragen komen later wel. Hoe stelt Tino zich het middageten voor? Ik kan me toch helemaal niet bewegen. Mijn ledematen lijken niet bij mij te horen. Ik geloof niet dat ik ze kan aansturen. Tino schuift net het ziekenhuistafeltje over mijn bed. De verpleegster richt het hoofdeinde van mijn bed op. O, bijna verticaal, een nieuw uitzicht. Maar mijn bloedsomloop werkt niet echt mee. Het liefst zou ik deze beweging terugdraaien. Maar dan zou ik de kracht moeten hebben om te protesteren. Nu moet ik eerst aan deze nieuwe houding wennen. Ik heb mijn ogen alweer dicht.

'Gaat het wel?' wil Tino weten.

Ik knik heel traag. Langzaam wen ik aan deze nieuwe stand. Ik probeer opnieuw mijn ogen te openen.

Ik kan in elk geval kort naar Tino glimlachen. Fijn om te merken dat mijn mondhoeken op mijn commando reageren.

De deur gaat open en de verpleegster brengt een dienblad binnen.

'Helaas krijgt u eerst alleen griesmeelpap.'

Alleen griesmeelpap? Dat is geweldig! Dat maak ik thuis veel te weinig. Ik heb weliswaar geen trek, maar griesmeelpap gaat er altijd wel in.

'Lukt het?'

Tino zegt van wel en de verpleegster verdwijnt weer. Ik ben er niet zo zeker van. Hoe moet dat nu? Mijn linkerarm kan ik waarschijnlijk gewoon gebruiken, want ik ben aan mijn rechterborst geopereerd, maar eten met links? Tino heeft het probleem allang opgelost en begint me te voeren. Oké, dan maar zo. Ik geniet van de eerste lepels, maar al snel krijg ik last van de warmte. We pauzeren om een koel washandje te pakken. Dan gaan we weer verder. Het eten brengt ook mijn bloedsomloop weer op gang. Geen wonder, ik heb al lang niets meer gegeten. Eergisteren voor het laatst. Sneller dan verwacht heb ik het bord, dat eerst zo vol leek, naar binnen gewerkt en daarbij ook nog meerdere glazen water gedronken. Dat heeft me goed gedaan! Het zware gevoel komt ook weer terug, maar deze keer is het echte moeheid en niet die uitputtende schemertoestand.

Ik word wakker tijdens de volgende doorbloedingscontrole. De verpleegster is weer uiterst tevreden. Ik probeer naar onderen te gluren om te zien hoe mijn rechterkant eruitziet, maar vanuit mijn gezichtshoek zie ik nauwelijks iets. Daarna doet de verpleegster iets aan mijn voeteneinde. Ze gaat met een zakje gelige vloeistof naar de badkamer. Eigenlijk is het logisch dat ik sinds de operatie een blaaskatheter heb, maar het is geen leuk idee om daar geen enkele controle over te hebben. Ik voel me een echte patiënt.

'Dat ging maar net goed: het zakje stond op knappen.'

Tino trekt een gezicht. Hij is in een grappige bui, maar die ironische afstand is goed om niet te verzinken in neerslachtigheid. Het zakje en de flessen zullen wel weer verdwijnen. 'Heb je mijn borst al gezien?' vraag ik.

Hij knikt. 'Er zit nu nog doorzichtig verband omheen, maar de vorm is heel mooi geworden.'

Dat is geruststellend. Maar wakker zijn is echt inspannend. Ik doe zoveel indrukken op. Ik draai mijn hoofd en kijk uit het raam. Het is een mooi uitzicht, al zie ik alleen maar een paar blaadjes en de lucht. De wereld lijkt zo vreedzaam, zo volmaakt.

De artsen komen. Dokter Feller komt met dokter Heckmann de kamer binnen. De twee artsen zijn eigenlijk altijd in een goed humeur.

'En, hoe gaat het met u?'

'Steeds beter.'

'Goed. De operatie is zeer goed verlopen. Het duurde wat langer dan gepland, maar het transplantaat is onmiddellijk aangeslagen. Aan het einde had u wat koortsrillingen, maar dat is verder niet ernstig. We komen nu nog eens naar de borst kijken.'

Dokter Feller tilt voorzichtig de deken op en de twee artsen werpen een deskundige blik op mijn nieuwe borst.

'Alles is in orde. Het ziet er mooi uit. Morgenochtend verdwijnt de verwarmingsdeken en kunt u opstaan.'

De artsen praten nog wat met ons na en vertrekken dan weer.

Ik ben opgelucht dat er een einde komt aan deze sauna, maar opstaan? Hoe moet dat in vredesnaam? Ik kan me er niets bij voorstellen.

De volgende morgen is het al vrijdag. Als je zo veel slaapt, vliegt de tijd. Ik ben hier naartoe gekomen met een hele reeks luister-boeken, maar op dit moment heb ik geen afleiding nodig. Er gebeurt zo al genoeg. Na het ontbijt moet ik opstaan. De elek-trische deken is weg en nu is het bijna een beetje koud. Ik moet me goed instoppen onder de deken. Een halfuur na het eten is het zover. Er komen twee verpleegsters. Een van hen is de aar-dige Zwitserse.

'Zo, we richten eerst het hoofdeinde op, dan tillen we uw voeten langzaam over de bedrand en dan staat u op.'

Klinkt gemakkelijk, maar dat is het in de praktijk niet.

Uiteindelijk zit ik rechtop. Eigenlijk hoef ik me alleen nog van de bedrand te laten glijden. De verpleegsters houden me vast onder mijn armen. Ik voel een trekkend gevoel in mijn ach-terwerk en ik word een beetje misselijk. Oké, dat is dus de pijn. Maar de twee vrouwen kennen geen medelijden.

'Komt u maar,' zeggen ze vriendelijk.

Ik bijt op mijn tanden en uiteindelijk land ik toch op mijn benen. Nu moet ik ook nog lopen, maar ik word steeds misse-lijker.

'Ik geloof dat ik niet goed word.'

De verpleegsters overleggen kort en zetten me snel maar behoedzaam weer op het bed. De misselijkheid ebt weg, maar ik ben nat van het zweet. Dit heet dus mobiliseren.

'Zo, nu laten we het hoofdeinde weer langzaam zakken.' Het lijkt eeuwig te duren voordat ik weer plat lig. Als het uiteinde-lijk zover is, ben ik alleen maar opgelucht.

De tweede keer gaat het al veel beter. Na het middageten doen we de volgende poging. De pijn is er nog steeds, maar is uit te houden. Ik slaag er zowaar in een paar stappen rond het bed te zetten. We vormen een ware processie: de twee verpleeg-sters naast me en daarachter Tino die de urinezak en de vijf fles-sen voor het wondvocht draagt. Als we rond zijn, kan ik zelfs nog een korte blik in mijn ziekenhuishemd naar mijn borst werpen. Het ziet er helemaal niet verschrikkelijk uit. Ik heb nog niet alles gezien, maar voorlopig is het genoeg. Ik zou Tino kunnen vragen een spiegel te halen, maar dat hoeft nog niet. Hij zegt ook dat de borst er mooi uitziet.

'Morgen is het zaterdag.' Tino staat aan mijn bed.

Ik knik, want ik weet wat hij bedoelt. Als er tot morgen niets misgaat met het transplantaat, zijn de kritische drie dagen voorbij. Ik duw deze gedachte liever snel opzij, zoals ik de afgelopen dagen al heb gedaan. Ik zal niet tot dat kleine percentage behoren. Punt uit.

De volgende doorbloedingscontroles zijn steeds positief. Alleen de eerste controle door de nachtverpleegster is vervelend, want zij heeft altijd de heparine-injectie bij zich. Elke dag krijg ik netjes een injectie om trombose te voorkomen. Als dat stomme ding maar niet zo zeer zou doen! Eén keer heeft de Zwitserse de injectie gegeven. Toen deed het bijna geen pijn, maar het schijnt helemaal niet zo gemakkelijk te zijn, want bij alle anderen is de pijn vreselijk. Daarnaast moeten alle patiënten hier ook nog van die enige steunkousen aan. Samen met mijn compressiebroek is het echt om te gillen. We maken er maar grapjes over, dat helpt.

Het is inmiddels zaterdag, vandaag ga ik voor het eerst naar de badkamer. Ik ga mijn nieuwe spiegelbeeld bekijken. Dat is tenminste het plan. Tino is precies voor het ontbijt in het ziekenhuis. Het gaat steeds beter alleen, maar ik kan zijn hulp nog goed gebruiken. Het bedtafeltje doet moeilijk. Ik trek, maar er gebeurt niets. Dan zet het zich opeens met een ruk in beweging. Deze ruk kan voor mij dan weer bijzonder onplezierig zijn. Daarom is het gemakkelijker als Tino het beweegt. Van mijn kamergenote krijgt hij lovende opmerkingen: zo vroeg al paraat, zij had het tafeltje toch ook over mijn bed kunnen rijden. Ze is ook pas geopereerd, maar haar ingreep was niet zo drastisch. Ze is donderdag op mijn kamer gekomen, toen ik nog half in coma lag.

'Heb je goed geslapen?' vraag ik hem.

'Gaat wel. Doordeweeks overnachten er veel werklui in het hotel die op locatie werken. Die willen 's nachts slapen, maar nu in het weekend zijn er veel jongeren en die feesten erop los. Ik heb meteen mijn oordopjes ingedaan, maar ik kan niet echt zeggen dat ik goed heb geslapen.'

Na het ontbijt is het tijd om op te staan. 's Ochtends zitten mijn ledematen weer helemaal vast, maar de pijn in mijn achterwerk is al minder. Ik weet precies welke beweging ik *niet* mag maken. Ook mijn bloedsomloop werkt weer mee als ik opsta.

'Vandaag gaat het supergoed,' zegt Tino lovend.

Ik glimlach. Als ik een paar tellen op mijn benen heb gestaan, kan ik gaan. Voorzichtig zet ik de ene voet voor de andere. De badkamer lijkt mijlenver weg. Tino heeft alles voorbereid. De badkamerdeur staat wijd open, het licht brandt. Zo hoeft hij niet van mijn zijde te wijken. Je kunt wel merken dat hij tijdens zijn vervangende dienstplicht in de verzorging heeft gewerkt. Het is alsof het hem geen enkele moeite kost. Daar laat hij in elk geval niets van merken. Ik hijg ondertussen al flink. Nog maar een paar stappen.

'Alles oké?'

'Ja, het gaat.'

Gisteren zou ik nog gevallen zijn als de verpleegsters me niet meteen terug op bed hadden gezet. Vandaag gaat het veel beter, maar we zijn er nog niet. Ik ben nu in de badkamer aangekomen en ik steun voor de spiegel op de wastafel om uit te rusten.

'Wil je op het toiletdeksel gaan zitten?'

Ik knik en begin heel voorzichtig mijn gehavende achterste in de richting van de wc te schuiven. Voor buitenstaanders moet het eruitzien alsof ik achterwaarts wil inparkeren. Als ik bijna boven de pot hang, verplaats ik mijn gewicht langzaam naar achteren. Maar de rand van het ziekenhuisbed is veel hoger. Ik heb het gevoel alsof de hele hechting op mijn bil openscheurt. Ik verga van de pijn. Snel terug. 'Gaat niet,' krijg ik nog tussen mijn lippen geperst en Tino helpt me meteen weer overeind.

Vreemd genoeg werkt deze korte pijnstoot stimulerend. Hierdoor durf ik nu kort voor de spiegel te gaan staan. Ik ben verbaasd over hoe ik eruitzie. Mijn haar ziet er helemaal niet zo vet uit en ik heb geen kringen onder mijn ogen. Het ziekenhuishemd bewijst nu zijn nut. Ik ben zielsblij dat ik geen nachthemd over mijn hoofd hoef te trekken. Dat zou beslist niet gaan. Tino maakt de koordjes in mijn nek los en bevrijdt me voorzichtig van deze hobbezak. Daar is ze dan. Ik laat het beeld kort op me inwerken.

'Ze ziet eruit als het kleine zusje,' zeg ik ten slotte. 'Afgezien van het feit dat de tepel ontbreekt, zien ze er hetzelfde uit. Een beetje kleiner, maar dat geeft helemaal niets.'

'Ik vind het echt mooi geworden,' zegt Tino.

Ik was even vergeten dat ik niet goed ter been ben. Nu merk ik dat ik snel weer horizontaal wil. Dit is voorlopig voldoende. Tino helpt me en de terugweg verloopt zonder problemen. In bed word ik overvallen door moeheid.

De rest van de ochtend gaat snel voorbij. Tot nu toe ben ik steeds vluchtig in bed gewassen, maar later vandaag maak ik zelfs nog een ommetje naar de badkamer.

'Je haalt gewoon de zakken hier van het bed af en draagt ze achter me aan. Er kan niets gebeuren.'

Mijn broer kijkt me nogal onzeker aan. Ik heb geen idee of hij het vies vindt, of bang is dat ik val, of iets anders. Mijn broer en zus zijn op bezoek gekomen en Tino heeft een middagje vrij. Omdat mijn broer niets zegt, trek ik me er niets van aan. Ik wil nu regelmatig opstaan, want ik weet dat ik dat moet oefenen. Het gaat ook al veel beter. In de kamer heb ik alles al onder controle. Nu wil ik de gang op, mijn oefenterrein uitbreiden. Met mijn broer en zus aan mijn zijde hoeft dat geen probleem te zijn. Voorzichtig kom ik uit bed. Dat duurt nog het langst. De rugleuning oprichten, voorzichtig naar de zijkant schuiven, de benen over de rand hangen en langzaam rechtop gaan staan. Als ik eenmaal sta, gaat alles veel gemakkelijker. Het duurt voor mijn gevoel nog eeuwig voor ik bij de kamerdeur ben, maar het gaat. Op de gang verplaats ik me maar een paar meter, maar het is al iets. Tevreden begeef ik me op de terugweg. Ik voel een golf van euforie omhoogkomen: het transplantaat is aangeslagen, ik mag alles doen waartoe ik me in staat acht en wat niet te veel pijn veroorzaakt: ik kan weer opstaan, ik kan tot nu toe 's nachts steeds slapen, ik heb weinig pijn, een mooie kamer, een aardige kamergenote met wie ik veel lol heb, de verpleegsters zijn bijzonder vriendelijk, het eten smaakt prima – het gaat vooruit!

Eerst loopt het wat stroef met mijn broer en zus. Ik geloof dat ze niet zo goed weten hoe ze met hun grote zus in het ziekenhuisbed moeten omgaan. Misschien komen er ook herinneringen boven aan mijn moeder in het ziekenhuisbed. Dat weet ik niet. Ze praten er niet over. We hebben thuis geleerd dat je over sommige dingen niet praat, maar ik vertel gewoon ongevraagd over het verloop van de operatie en mijn vooruitgang.

'Willen jullie het resultaat eigenlijk zien?' vraag ik ten slotte. Anette knikt, maar Jörg wil het liever niet zien en gaat even naar buiten. Anette kijkt, maar zegt niets. Ze ziet er moe uit, ze is weer met de nachttrein gekomen. Hoe dan ook, het is fijn dat ze er allebei zijn. Ze zijn nu eenmaal zoals ze zijn. Hun bos bloemen op de vensterbank is prachtig. Na een tijdje overwinnen ze hun schroom en praten we over hoe het op het werk en met de studie gaat.

Uiteindelijk gaan de twee op zoek naar een café en ik gebruik de tijd om te slapen, want ik ben al weer behoorlijk moe. Eten en slapen, dat zijn mijn belangrijkste bezigheden.

Later komt Tino terug en nemen Anette en Jörg afscheid. Zo gaat de zaterdag voorbij.

'Luistert u naar Bruce Springsteen?' Het is maandagochtend, dokter Feller staat aan mijn bed en heeft de cd's op de vensterbank ontdekt.

'Hier in het ziekenhuis heb ik nog helemaal geen zin gehad in muziek,' antwoord ik. 'Maar op de heenweg hebben we ernaar geluisterd.'

'Ik heb de cd toevallig ook in de auto liggen. Hoe gaat het met u?'

Ik vertel hem over mijn vooruitgang, hij bekijkt mijn borst en is tevreden. Hij vertelt me nog kort wanneer welke slangetjes worden verwijderd en geeft me de opdracht het trappenhuis eens op en neer te gaan. Zoals altijd zal vanavond nog eens een van beide artsen langskomen. Oké, mijn doel voor deze maandag is duidelijk: trappenlopen. Mijn buurvrouw heeft dezelfde opdracht gekregen. We bereiden ons mentaal voor. Zij gaat vervolgens als eerste, ik wacht nog, want vandaag wordt mijn blaaskatheter verwijderd. Als die weg is, kan ik me vrijer bewegen. Dan hoef ik alleen nog de drainageflessen te dragen waarin het wondvocht wordt opgevangen.

Als de verpleegsters uiteindelijk komen en me van de katheter bevrijden, is Tino net voor een paar uur weg. Hij gaat lunchen en dan in een internetcafé zijn e-mails lezen en beantwoorden. Zo probeert hij toch zijn werk draaiende te houden, terwijl hij hier in München is en zich met mij bezighoudt. Ik wil echter dolgraag weten hoe de trappen aanvoelen. Ik zou het ook alleen kunnen proberen. Ik aarzel even, maar uiteindelijk besluit ik eerst maar eens gewoon naar de trap toe te lopen. Ik kan altijd nog omkeren, zeg ik tegen mezelf. Ik pak mijn flessen en ga op weg. Natuurlijk kom ik maar heel langzaam vooruit, maar dat geeft niets. Buiten op de gang is altijd wel iets te zien: moeders die hun pasgeboren kind in slaap rijden, op weg naar de borst-voedingsruimte zijn, uit het ziekenhuis vertrekken, soms ook aanstaande vaders, die zichtbaar nerveus over de gang ijsberen.

Ik kom al snel bij de trap aan. Nu wil ik een keuze maken: naar boven of naar beneden. Omhoog lijkt me gemakkelijker, maar dan moet ik natuurlijk ook weer naar beneden. Maar wacht, er is ook een lift. Ik ga dus eerst maar eens naar boven met de trap. De eerste trede neem ik nog uiterst voorzichtig. Helaas zit aan mijn linkerkant geen leuning en de leuning rechts wil ik liever niet gebruiken. Ik weet niet hoe dat met mijn borst gaat als ik te veel verg mijn rechterarm en mijn spieren. Super, de eerste trede gaat zonder problemen! Nu de volgende. En nog één. Ik denk er al snel helemaal niet meer over na. Als ik een verdieping hoger ben, draai ik me om. Inderdaad is afdalen niet zo vanzelfsprekend, maar hier helpt de trapleuning, die zich nu links van mij zit, aan mijn gezonde kant. Ik ben nog heel enthousiast en ga meteen twee verdiepingen naar beneden en dan weer één omhoog. Terug in de kamer wissel ik met mijn buurvrouw uit hoeveel treden we hebben gedaan en ik win de interne kamercompetitie ruimschoots. We zijn het erover eens dat het komt doordat ik een stuk jonger ben. We vieren onze beklimming van het trappenhuis met een paar bonbons.

'Zullen we niet eens een frisse neus scheppen?'

Het is dinsdagmiddag en Tino stelt voor het ziekenhuis uit te gaan. Ik ben al een week niet meer buiten geweest. Ik merk dat ik wel zin heb, maar ook wat bang ben.

'Het is behoorlijk koud buiten. Ik weet niet of dat wel goed voor me is,' werp ik tegen. Tino laat zich niet van zijn plan afbrengen. Zijn argument is dat als ik zonder problemen drie verdiepingen op en af kan lopen, ik ook wel naar buiten kan.

'Ja, ja, maar aankleden is niet zo gemakkelijk.'

'Geen probleem, ik help je wel.'

Uiteindelijk stem ik in. Toch maakt het aankleden me genadeloos duidelijk hoe beperkt mijn bewegingsvrijheid nog is. Als ik vervolgens werkloos moet toezien hoe Tino mijn veters strikt, voel ik me werkelijk een stumper. Hoe heb ik het in mijn hoofd gehaald om veterschoenen mee te nemen? Slippers had ik tenminste zelf aan kunnen doen. Ik kan me op dit moment absoluut nog niet bukken en mijn veters strikken. Dat zou te veel spanning op de hechtingen op mijn bil veroorzaken. Ik kan me in allerlei bochten wringen, maar nu kan ik het gewoon nog niet alleen. Ik voel me weer een patiënt. Gelukkig doet Tino alles als vanzelfsprekend. Ik sta inmiddels aangekleed in de kamer. Nu nog voorzichtig mijn jas aantrekken en dan begint de expeditie naar de buitenwereld.

'Zo, zullen we naar de Engelse tuin gaan?' vraagt Tino.

We staan buiten op het pleintje voor het ziekenhuis. Het is koud, maar de winterse lucht werkt verkwikkend. Aan de overkant van de straat begint het park. Het lijkt me mijlenver. Nog maar een paar dagen geleden fietste ik 100 kilometer achter elkaar, nu sta ik hier en durf ik niet eens de straat over te steken.

'Tino, dat gaat niet, de weg is niet vlak genoeg!'

'Dat geeft niets, dokter Feller heeft toch gezegd dat je alles mag doen waar je zin in hebt?'

Ik voel me idioot. Hij heeft gelijk: wat kan er nu gebeuren, alleen omdat er een paar hobbels in de weg zitten. Mijn overdreven voorzichtigheid leidt waarschijnlijk eerder tot problemen dan de toestand van de weg.

'Goed dan, nog een paar meter. Maar als ik niet verder wil, gaan we meteen terug!' Tino knikt en langzaam steken we eerst de straat over en lopen dan over de hard bevroren weg rond de Chinese toren. Na een kwartier wil ik omkeren.

'Weet je het zeker?' vraagt Tino.

Hij zou de ronde zeker nog groter willen maken, maar ik sta erop om terug te gaan. Zonder kleerscheuren bereiken we het ziekenhuis en we gaan naar boven, naar mijn kamer. Daar aangekomen voel ik me nog helemaal fit. Tino kijkt me grijnzend aan. 'Dan was het toch te kort voor je.'

Hij heeft gelijk. Het is niet de eerste keer dat ik meen mezelf te moeten ontzien en achteraf nergens last van heb. Maar goed, de volgende keer ga ik verder. Nu moet ik eerst weer terug naar bed.

Het is donderdag. Ondertussen kan ik zonder problemen opstaan en rondlopen. Ook eten kan ik weer helemaal zelfstandig. Alleen als ik naar de wc moet, heb ik nog wat hulp nodig. Tino doet alles zonder protesteren. Ik ben dolblij dat ik niet steeds een verpleegster hoef te roepen. Dat zou ik vervelend vinden. Het is wel een luxe om een privéverpleger bij me te hebben; niet iedereen zou zo onverschrokken zijn als Tino. Ook de verpleegsters zijn zichtbaar blij met zijn hulp. Hij kan nu ook geregeld even pauze nemen, omdat ik elke dag mobieler word. De flessen van de wonddrainage zijn ook al lang verdwenen. Net als Tino een paar uur weg is, gaat mijn mobiel. Het is Steffi, een vriendin van de basisschool, die nu in Heilbronn woont.

'Hallo, Evelyn? Zeg eens: waar ligt die kliniek precies? We rijden net op de ring. Kunnen we nu langskomen of komt het niet goed uit?'

Dat is leuk, Steffi hier in München!

'Jullie kunnen zeker langskomen. Je moet de afrit nemen bij het Hilton.'

Ze is blijkbaar met haar man onderweg. Hebben ze speciaal vrij genomen voor mij? Ze had niet op Tino's groepsmail gereageerd. Daarom had ik ook niet op haar gerekend. Maar ze leest haar e-mails niet ook regelmatig en ze antwoordt nog minder vaak.

Nog geen tien minuten later staan ze bij mij in de kamer. Ze hebben inderdaad voor mij vrij genomen; straks gaan ze nog naar de markt en dan rijden ze weer terug naar huis. Geweldig, dat vind ik heel leuk!

Steffi is gynaecologe in opleiding en wil alles precies weten. Ze heeft ook al onderzoek gedaan naar het ziekenhuis waar ik lig. Ze was erg verbaasd over het aantal kinderen dat hier jaarlijks wordt geboren. Mij zeggen zulke cijfers natuurlijk bijster weinig. Ik vertel alles: hoe het met me gaat, hoe de operatie is gegaan, wat de artsen hebben gedaan. Uiteindelijk vind ik het te ingewikkeld om alles in theorie uit te leggen.

'Wil je het niet zien?'

'Kan dat wel? Vind je dat niet vervelend?'

'Nee, dat vind ik geen probleem. Het is mooi geworden. Ik wil bovendien ook in de toekomst nog naar de sauna en zo. Dan zullen anderen het ook zien.'

Haar man gaat uit eigen beweging de kamer uit. Twee basisschoolvriendinnen onder elkaar. Ik laat haar de verschillende hechtingen zien en leg nog eens uit hoe de ingreep er precies uitzag. Ze is erg onder de indruk en vindt het geweldig.

'Die operatietechniek kende ik helemaal niet.'

'En het is nog wel zo'n geniale techniek!' zeg ik.

Na enige tijd roepen we haar man weer binnen. Nu zijn zij aan de beurt om over zichzelf en hun vakanties te vertellen. We hebben elkaar lang niet gezien. Uiteindelijk vertrekken ze weer.

'Wat staat er vandaag nog op het programma? Heb je nog onderzoeken?'

'Nee, er komt nog wel een arts langs, maar hij kijkt alleen even naar mijn borst. Als Tino terug is, ga ik met hem een rondje wandelen in de Engelse tuin.'

Steffi is verbijsterd. 'Je maakt een grapje! Dat is toch veel te ver en inspannend?'

'Welnee, de tuin ligt hier tegenover.'

Ze schudt haar hoofd. 'Typisch Evelyn: kan ze net op haar

benen staan, loopt ze al door het park. Je doet het wel rustig aan, hè!'

'Maak je geen zorgen, we zijn gisteren en eergisteren ook al geweest.'

'Je bent er al geweest! Dat is echt ongelooflijk.'

Nadat ik gisteren met Tino al dwars door de Engelse tuin ben gelopen, heeft hij nu het plein Münchner Freiheit als ons doel gekozen. Daarvoor moeten we een stuk naar het noorden lopen en dan aan de westkant het park uitgaan. Ik heb geen idee hoe ver dat is. Na ons uitstapje van gisteren maak ik me daar echter geen zorgen meer over. Gisteren hebben we een tussenstop in een café gehouden. Daar waren barkrukken, heel handig, ik kon er dus gemakkelijk zitten. Alleen gewone stoelen zijn moeilijk, want gaan zitten is nog pijnlijk.

In de Engelse tuin zijn ondanks de kou veel mensen onderweg: fietsers, hardlopers, moeders met kinderwagens, wandelaars, ruiters, van alles. Ik vraag me af hoe dat in de zomer is, als ook de enorme biertuin bij de Chinese toren open is.

'Weet je de weg?'

'Ja, ja, maak je geen zorgen.'

Ik kan me niet voorstellen dat hij precies weet welke weg we moeten nemen. Waarschijnlijk weet hij alleen in welke richting we moeten, maar dat is genoeg. We komen in de wijk Schwabing. Hier zie ik voor het eerst weer winkels en cafés. Vreemd. Met mijn slakkengangetje kan ik alle etalages uitgebreid bekijken. Tino vertelt waar hij allemaal geweest is, hij laat me allerlei plekjes zien. Ik vind het ongelooflijk leuk om door de straten te wandelen. Ik vergeet helemaal waarom ik eigenlijk in München ben. Ten slotte blijven we voor een winkel staan.

'Ik wist helemaal niet dat Timberland ook kleding verkoopt,' zeg ik.

'Ik ook niet.'

'Dat ziet er leuk uit wat de etalagepop aanheeft.'

Ze draagt een bloes en trui op een knielange rok met riem en leren laarzen. Tino vindt de kleren ook leuk.

'Wil je ze passen?'

Ik denk even na. 'Nee, dat is te ingewikkeld. Dat doen we na de volgende operatie. Dan heb ik iets om naar uit te kijken.'

Tino knikt. 'Oké.'

We komen 's avonds pas na etenstijd terug, maar het dienblad met het avondeten staat er nog. Jammer genoeg is mijn kamergenote vandaag ontslagen. Ze was een heel leuke vrouw die veel van de wereld heeft gezien. Ze heeft verschillende banen gehad, een zoon grootgebracht en had in alle opzichten veel levenservaring. Een boeiende vrouw. Nu is ze weg – jammer. Maar goed, morgen mag ik zelf ook naar huis.

Ik kleed me niet om voor de avondvisite. Ik hoef alleen maar op de bedrand te zitten en daarvoor hoef ik geen nachthemd aan. Zoals altijd komt er een arts langs en de nachtverpleegster met de heparine-injectie. Wat een onzin na een wandeling van ruim twee uur, maar goed, regels zijn regels.

'Ik heb geen zin om naar bed te gaan. Zitten zou prima zijn, maar om nu al te gaan liggen...'

Tino moet zo langzaamaan ook eten, maar ik heb echt geen zin om hier alleen te liggen. Dan besluiten we dat ik hem gewoon tijdens het eten gezelschap houd. Dat is per slot van rekening niet verboden. Ik moet dan wel op een normale stoel zitten, maar dat is altijd nog beter dan hier wat rondhangen. Ik meld me af in de dienstkamer en we gaan op weg naar een nabijgelegen restaurant.

Helemaal ontspannen ben ik niet; zitten is toch wel een uitdaging. De stoelen zijn hard en ongemakkelijk. Naast ons zit een ouder paar. De vrouw heeft zo te zien een facelift ondergaan. Ik moet denken aan de situatie in de thuiszorgwinkel. Toch absurd, wat mensen zichzelf vrijwillig aandoen.

'Smaakt het?'

Tino kauwt wat lusteloos op zijn eten. 'Niet zo. Zo langzamerhand krijg ik genoeg van dat spul.'

Logisch, hij gaat al meer dan een week steeds uit eten of haalt iets bij een snackbar. Het wordt tijd dat we naar huis gaan.

Vrijdagochtend slaap ik nog als Tino de kamer binnenkomt. Gisteren was toch wel vermoeiend. Vannacht heeft het buiten gesneeuwd en Tino trekt zijn regenpak uit. Gek, het is pas november. Ik werp een blik in de tuin van het ziekenhuis. Er is zeker tien centimeter sneeuw gevallen.

'Dat is wel mooi, maar hoe zit het met onze terugreis?' vraag ik bezorgd.

Tino worstelt nog met zijn regenbroek.

'Geen probleem, ik heb al op internet gekeken. Het heeft alleen hier gesneeuwd; rond het Bodenmeer en in het Zwarte Woud ligt niets.'

Er wordt geklopt en een verpleegster brengt mijn voorlopig laatste ziekenhuisontbijt. Tino brengt al mijn spullen naar de auto terwijl ik van het eten geniet. Na het ontbijt begint het wachten op de dokter. Normaal gesproken komt hij altijd heel vroeg.

'Waarschijnlijk is het een chaos op de weg.'

Ik ga nog maar even op bed liggen; zitten moet ik in de auto nog lang genoeg. Ik vraag me eigenlijk af hoe de terugreis zal zijn. We moeten in elk geval pauzes nemen om mijn billen wat te ontzien. Na een uur beginnen we nerveus te worden van het wachten. Ons geduld raakt op. Ik wil naar huis, alles in ingepakt, we staan in de startblokken. Ik kan me niet goed op mijn boek concentreren. Wat een frustratie. Nog een halfuur later komt dokter Feller eindelijk binnen. Hij verontschuldigt zich voor de vertraging, maar zoals we al vreesden zat het verkeer rond München vast. Het had dus ook geen zin gehad om eerder te vertrekken.

Hij kijkt voor de laatste keer naar de wonden en is uiterst tevreden. 'Tot de volgende operatie doet u het gewoon rustig aan en probeert u wat kilo's aan te komen.' De dokter heeft gelijk, de dagen hier hebben veel van mijn lichaam gevergd.

'Dan wens ik u nog een goede terugreis. We zien elkaar weer over iets minder dan drie weken.'

We schudden hem de hand en vertrekken dan zo snel mogelijk. Ik wil alleen nog maar naar huis. Iets minder dan drie weken. Dat is niet veel. Daar heb ik tot nu toe helemaal niet over nagedacht. Maar goed, dat zou ook niets aan veranderen. Ik moet er nu gewoon doorheen.

DE TWEEDE KEER IS ALLES ZWAARDER

'Dokter Feller heeft gebeld, ik kan woensdag al worden geopereerd,' zegt Evelyn als ik binnenkom.

Ik zet mijn tas neer en laat het nieuws tot me doordringen. 'Dan moeten we morgen al vertrekken.'

Evelyn ligt op de bank in de woonkamer. Ik ga bij haar zitten. De drie weken zijn bijna om, de volgende operatie komt eraan. Dat is geen prettig vooruitzicht, maar het is nu eenmaal zo.

'Kan dat wel, nu je antibiotica slikt?'

Evelyn is een paar dagen geleden verkouden geworden en onze huisarts heeft uit voorzorg antibiotica voorgeschreven.

'Dokter Feller zegt dat het geen probleem is. Ik blijf de antibiotica ook gewoon tijdens en na de ingreep krijgen.'

Ik kijk Evelyn aan. 'Eigenlijk is het wel goed, vind je niet? Hier zitten we toch alleen maar te wachten tot het zover is.'

'Dat vind ik ook. Dan bel ik hem op om te zeggen dat we komen.'

De revalidatie verliep tot nu toe zonder problemen, ondanks deze vervelende verkoudheid. Maar het is december, tijd voor verkoudheid, daar kun je niet over klagen. Toch was het geen gemakkelijke tijd. Ik ben nog steeds min of meer verantwoordelijk voor het huishouden, omdat Evelyn natuurlijk nog herstellende is. Daarnaast moet ik mijn bedrijf draaiende houden, een aantal projecten moet voor Kerstmis worden afgerond. Toch is het goed om een paar dagen eerder te vertrekken, want het moet er toch van komen.

We pakken onze spullen, ik boek weer een kamer in Easy Palace, mijn lowbudgethotel; mijn stadsfiets heb ik voor het gemak maar in het ziekenhuis laten staan. Na een paar zachtere dagen is het nu weer echt winter geworden en voorbij het Bodenmeer ligt al snel een dunne laag sneeuw op de dorre velden.

Ik rijd de route zonder veel te hoeven nadenken. We zijn niet bijzonder spraakzaam en Evelyn slaapt veel. Wat moet je ook zeggen? Dit is gewoon deel twee van de tragedie.

Ook in München ligt wat sneeuw, de Engelse tuin ziet er winters uit. Evelyn komt in dezelfde kamer terecht, in het bed aan het raam. Evelyn kijkt uit het raam. 'Ze hebben de den als kerstboom opgetuigd,' zegt ze. Verder alles bij het oude gebleven, ook hier. De eerste verrassing komt echter de volgende dag al. De tweede operatie gaat veel sneller. Om ongeveer twee uur 's middags verschijnt mijn vrouw al in de verkoeverkamer – nu is ze dus aan beide kanten geopereerd. Ik ben opgelucht, ook bij deze operatie is alles goed gegaan. Dat het transplantaat kan worden afgestoten, houdt me nu niet meer zo bezig, ik kan het met succes verdringen. Uiteindelijk is het de eerste keer ook goed gegaan.

De tweede verrassing is de elektrische deken en het eten. Er is onmiddellijk weer vast voedsel. De elektrische deken verwarmt Evelyn nog maar 24 uur en op een lagere temperatuur. De verpleegsters weten ook niet precies waarom. We willen het later eens aan dokter Feller of zijn assistent vragen, maar vergeten het uiteindelijk. In elk geval is de kortere saunatijd natuurlijk aangenaam voor Evelyn, maar ze is wel teleurgesteld dat ze na de operatie geen griesmeelpap krijgt. Over het algemeen krijgen we de indruk dat het nu drukker is in het ziekenhuis. Voor Kerstmis schijnen extra veel zwangere vrouwen een keizersnee te krijgen. Ze willen daarmee voorkomen dat de baby op een ongunstig moment tijdens de feestdagen komt, als er minder personeel in de ziekenhuizen is. In elk geval horen we nu veel meer babygehuil en overal sloffen hoogzwangere vrouwen in badjas aan de arm van een familielid door de gangen. Het personeel heeft uiteraard gemerkt dat ik de vorige keer de verzorging tijdens de eerste dagen bijna volledig op me heb genomen en komt nu nog maar af en toe langs om even te kijken. Ook de aardige Zwitserse zien we jammer genoeg amper. Regelmatig roep ik de verpleegsters: als de urinezak vol zit. Dat zou ik ook best zelf kunnen doen, maar je kunt ook overdrijven. We merken namelijk al gauw dat we veel sneller uitgeput raken dan de vorige keer.

Al met al is onze stemming veel gedrukter dan de vorige keer. We zijn nauwelijks blij met de vele kleine vorderingen in de eerste dagen na de ingreep, zoals de eerste keer opstaan, de eerste keer tot het einde van de gang, de eerste keer het ziekenhuis uit. Integendeel, eigenlijk zijn we allebei voortdurend prikkelbaar. *Maar* kort opgestaan, *maar* tot het einde van de gang gegaan, *maar* tot de deur gekomen. Het glas is deze keer beslist halfleeg. Steeds zien we alleen maar wat er nog niet mogelijk is. Bovendien heeft Evelyn na deze ingreep veel meer pijn. De pijn is niet aanwijsbaar, maar vaag. Misschien werken de pijnstillers daarom niet goed of niet voldoende. Het is wel uit te houden, maar op den duur afmattend. We vragen weliswaar geregeld om een hogere dosering, maar het personeel is hier vreemd genoeg wat terughoudend mee. Ook de genezing van de hechtingen verloopt deze keer niet zonder complicaties. De wond op haar bil ettert al een paar dagen. Niet dramatisch, maar vervelend. Misschien duidt dat er ook op dat Evelyn fysiek en mentaal de grens heeft bereikt.

Het is duidelijk dat ook ik langzaam maar zeker uitgeput raak. Mijn hotel is natuurlijk geen paleis. Toen ik er de eerste keer verbleef, ging het nog wel, maar nu valt me nog duidelijker op hoe troosteloos en armoedig het hotel eruitziet. Het ontbijt is werkelijk treurig en wordt geserveerd in een kleine ruimte die 's avonds als bar dient. 's Morgens ruikt het er dan ook naar rook. En dan het weer: ik ervaar het onderhand als persoonlijke belediging, want het is beestachtig koud en het sneeuwt constant. De afstand tussen het ziekenhuis en het hotel is te kort om het op de fiets warm te krijgen, maar lang genoeg om verschrikkelijk kou te lijden.

Ook Evelyn is duidelijk aan het einde van haar Latijn. Ze huilt nu vaker om onbenullige dingen. Daarnaast komt er nu niet meer zoveel bezoek. Logisch, zo vlak voor Kerstmis wil vrijwel niemand nog het hele land door om aan een ziekenhuisbed te zitten, vooral omdat de meesten met de feestdagen ook al op familiebezoek moeten. Ik merk dat ik steeds minder fut heb. Ik ken dat gevoel maar al te goed van mijn werk in de zorg tijdens mijn plaatsvervangende dienstplicht. Als de druk te groot wordt, houdt mijn hoofd het op een bepaald moment voor gezien en dan laat ik het mentaal afweten. Dit dreigt nu ook te gebeuren en ik merk dat ik dringend rust nodig heb. Mijn stemming verslechtert in rap tempo, ik stort emotioneel bijna in, alles werkt me op de zenuwen. Maar ik wil Evelyn niet alleen laten. Ze is er minstens zo slecht aan toe als ik, met het kleine verschil dat ik me vrij kan bewegen en alle mogelijke afleiding kan zoeken.

Elke en Uli willen zaterdag komen en zondag weer vertrekken. Dan zou ik vrijdagavond naar Freiburg kunnen rijden en pas maandag weer terugkomen. Dat zou mijn redding zijn! Eigenlijk is het gekkenwerk om voor twee dagen naar huis te rijden, maar het dringt steeds meer tot mij door dat ik dit nu juist nodig heb. In gedachten zie ik me al zaterdagavond in ons eigen huis voor onze eigen tv zitten en naar het sportjournaal kijken. Dat is precies wat ik wil! Vreemd, maar aan die gedachte houd ik mij vast tot aan het weekend.

Zover is het echter nog niet. Vrijdagmorgen trekt er een dik sneeuwfront over en veranderen alle snelwegen in glijbanen en kilometerslange files. 's Middags loop ik nog steeds te twijfelen: naar huis rijden of de trein nemen? Dat zou natuurlijk weer geld kosten. Bovendien is het vast erg druk in de trein, zeker op vrijdagmiddag met sneeuw. Wat ik nu dringend nodig heb, is afzondering. Uiteindelijk wint het gezonde verstand en zie ik vandaag van mijn voornemen af.

'Blijf dit weekend toch hier in München en neem een goed hotel,' zegt Evelyn. Maar alles in mij verzet zich tegen dit idee. Het is te laat, ik zit er helemaal doorheen, ik moet nu gewoon even geestelijk tot rust komen, en dat kan alleen als ik fysiek afstand neem. Evelyn vindt het niet leuk, dat spreekt voor zich, maar mijn besluit staat vast. Als het maar even kan, moet ik een paar dagen weg uit München.

Ik was helaas zo dom om al uit te checken en kan in mijn hotel geen eenpersoonskamer meer krijgen, want in het weekend stroomt de stad vol met voetbalfans die de goedkope hotels bezetten. Ik krijg met wat geluk een andere kamer, een gedeelde kamer, waar mijn stemming uiteraard niet beter van wordt. Dat heb je met een jeugdherberg. Achteraf denk ik dat ik inderdaad een ander hotel had moeten nemen, maar op dat moment wilde ik niet zo veel geld uitgeven – per slot van rekening verdiende ik amper iets en niemand zou mijn verlies lagere inkomsten vergoeden.

Om de niet bepaald opbeurende slaapzaal te ontlopen ga ik 's avonds op zoek naar een bioscoop. Ergens een enigszins draaglijke film kijken, een biertje drinken en dan onder de dekens kruipen, dat lijkt me nu het best. Film is een passie van me; ik ervaar het altijd als een soort korte mentale vakantie om door een goede film helemaal op te gaan in een andere wereld. Uiteindelijk vind ik een bioscoop, niet ver van het hotel. Om halfelf draait er een film die ik wel wil zien. Het is nu kwart voor tien. Ik slenter nog twintig minuten rond in de koude stad en zit dan als een van de eersten met een flesje Beck's in de zaal. Als ik na afloop de hotelkamer binnenkom, is het licht al uit. Ik kleed me in het donker uit, leg mijn spullen op het voeteneinde en val in slaap.

Uiteindelijk rijd ik toch nog naar huis. Kort voor het middageten zeg ik Evelyn gedag. Elke en Uli zijn al onderweg van het station naar het ziekenhuis, maar natuurlijk had Evelyn liever gewild dat ik was gebleven. Het wordt een lange rit, overal liggen resten sneeuw op de weg, vooral tussen de rijbanen, en vaak is het behoorlijk gevaarlijk om van rijbaan te wisselen. Toch verbetert mijn stemming met elke meter die ik verder van München vandaan ben. Rond het Bodenmeer is het dan weer zo zacht dat ook de straten sneeuwvrij zijn. Ik kom op tijd voor het sportjournaal in Freiburg aan, ik plof op de bank, zet de tv aan en het is werkelijk heerlijk – precies zoals ik het me had voorgesteld!

Als ik er maandag weer ben, is Evelyn een stuk fitter. De wonddrainage is weg, ze kan rondlopen en ze is zelfs al in de Engelse tuin geweest, waar ze warme chocolademelk heeft gedronken op de kerstmarkt bij de Chinese toren. Toch komt bij ons de gedachte op dat Evelyn misschien eerder uit het ziekenhuis kan vertrekken. Als de hechting op haar bil niet meer ettert, kan er eigenlijk niets meer misgaan. We praten voortdurend over eerder naar huis gaan.

Dinsdag moeten we helaas afscheid nemen van de aardige kamergenote die tot nu toe bij Evelyn in de kamer lag. Ze wordt opgevolgd door een oudere dame die bij de receptie van een groot bedrijf in München werkt. Ze 'moet' nu echt iets aan haar uiterlijk doen, zoals ze zelf zegt, en daarom laat ze zich liften. Dat vinden we toch wat merkwaardig. Is het echt noodzakelijk om voor je baan onder het mes te gaan?

Evelyns hechting geneest ondertussen goed. Alleen de vage pijn blijft. We zijn nog steeds behoorlijk prikkelbaar. De wat gemaakte vrolijkheid van de gelifte buurvrouw draagt niet echt bij aan onze rust. Met de operatie is haar wens in vervulling gegaan en nu is ze dolgelukkig. Wij hebben ook feitelijk gezond voor de operatie gekozen, maar onze omstandigheden lijken ons toch wel wat anders. Af en toe vragen we de artsen of Evelyn niet eerder uit het ziekenhuis weg mag, maar ze houden voet bij stuk. Natuurlijk zouden we ook zelf weg kunnen gaan, maar we hebben allebei geen kracht meer om te protesteren. Bovendien blijft het medisch gezien natuurlijk onduidelijk of we daarmee het resultaat van de operatie in gevaar zouden kunnen brengen en dat is wel het laatste wat we willen. We schikken ons dus in ons lot.

Donderdag, de voorlaatste dag, willen we een uitstapje maken naar de Timberlandwinkel in Schwabing. Daar wachten nog steeds de kleren die Evelyn in november had gezien. Haar eerste kleren met nieuwe borsten. Het weer is rustiger geworden, het is een mooie en vrij zachte winterdag in München. We gaan op pad, het gaat goed, de pijn is te verwaarlozen. Evelyn past de kleren aan en uiteindelijk kopen we de complete set van de etalagepop. Bloes, trui, rok, laarzen en riem. Het staat haar goed. Het is wel een hele hoop geld, maar we zijn het erover eens: het moet gewoon. Daarna heeft Evelyn nog met een kennis afgesproken die een paar metrohaltes verderop woont. Omdat ze zich nog steeds goed voelt, gaan we te voet. 'Als het je te veel wordt, kunnen we zo op de metro stappen,' zeg ik. Bij de kennis besluiten we naar een café in de buurt te wandelen, dat toch ook weer 2 kilometer verderop ligt. Na afloop lopen we niet alleen de hele heenweg terug, maar ook nog helemaal tot aan het ziekenhuis. Al met al zeker 7 of 8 kilometer.

's Avonds ziet de assistente van dokter Feller de papieren tas van de Timberlandwinkel in de kamer staan en ze wil weten hoe ons winkeluitje was. Als ze hoort dat we er niet met de taxi naartoe zijn gegaan, is ze met stomheid geslagen. Om te voorkomen dat ze helemaal omvalt van verbazing vertelt Evelyn maar niet dat we eigenlijk nog een flink stuk verder zijn gegaan. Het heeft ons echter bijzonder goed gedaan om het ziekenhuis bijna de hele dag niet te zien.

De gelifte buurvrouw is alweer ontslagen. Evelyn is zichtbaar blij om de kamer deze laatste uren voor zichzelf te hebben.

Het loopt echter anders. Ik heb heel vroeg uitgecheckt en het ontbijt in mijn hotel overgeslagen, zodat ik al even na zeven uur in het ziekenhuis ben. Kort daarna gaat de deur open en er komt een vrouw van rond de dertig de kamer binnen. Ze wordt vergezeld door een oudere vrouw, waarschijnlijk haar moeder. Het gezicht van de dochter staat op onweer, terwijl de moeder haar spullen in de kast legt. De jonge vrouw komt eerder over als een pruilende puber van zestien. De moeder is dan weer de opgeruimdheid zelve en merkt het slechte humeur van haar dochter niet op of negeert het gewoon. We krijgen allebei meteen de zenuwen van het stel. Ze wachten op de dokter, maar het sneeuwt alweer hard. Vaste prik aan het begin van deze winter in München. Er heerst chaos op de wegen rond de stad. Er komt een verpleegster binnen die ons meedeelt dat de dokter in de file staat.

Als hij met anderhalf uur vertraging eindelijk opduikt, moet ik de kamer uit en sta ik samen met de moeder bij het kleine tafeltje op de gang. Ze is volkomen overstuur en windt zich op over de vertraging, maar ik haal mijn schouders op. Wat had de dokter dan moeten doen met dit weer, denk ik bij mezelf, met een helikopter komen? De anesthesist komt langs en vraagt de moeder of het bedrag voor de narcose al is betaald. Ze reageert verontwaardigd, natuurlijk is het geld al overgemaakt, maar de arts blijft onaangedaan. Als hij weer weg is, begint ze op hem te schelden. Ik vind het langzamerhand te idioot voor woorden worden en maak me bij de eerstvolgende onderbreking in haar tirade uit de voeten. Uiteindelijk wordt haar dochter naar de operatiezaal gereden en de moeder vertrekt samen met haar. Onze rust is teruggekeerd.

Evelyn vertelt dat de vrouw voor een liposuctie komt. Dokter Feller heeft net de plaatsen op haar lichaam gemarkeerd. Zoals Evelyn het heeft begrepen, is het een soort kerstcadeau voor de dochter. Het is bovendien niet de eerste keer dat ze deze ingreep ondergaat.

'Jemig, zo jong en dan al voor de tweede keer vet laten wegzuigen!' zeg ik.

'Ja, maar ik had de indruk dat het vooral de wens van haar moeder was.'

De laatste controle van Evelyn duurt maar kort. De controleafspraken zijn gemaakt en we hebben nog een paar maanden voor de tepelreconstructie. We nemen afscheid van dokter Feller, de assistenten en de verpleegsters en dan vertrekken we naar huis. Eindelijk.

HET IS MOOI GEWORDEN

December 2005

Mijn dikke winterjas ligt in de kast op zolder. Ik ga dus op weg naar boven. Het is er ijskoud. Ik schuif voorzichtig langs de kisten en rekken om nergens tegenaan te stoten. Gelukt, daar is de kast. De kastdeur klemt weer eens. De houten deur gaat niet altijd goed open en als hij niet in beweging komt, helpt geweld nog het best. Het nadeel is dan dat de kastdeur met een ruk openspringt. Dit zal me vandaag dus niet lukken. Als de kast plotseling openschiet, zal dat beslist niet pijnloos zijn. En ik heb al zoveel pijn. Nog meer schokken veroorzaken waarschijnlijk alleen maar extra pijn. Ik ben na het weekend meteen naar mijn huisarts gegaan, zodat hij voor de kerstdagen nog eens naar de hechtingen kon kijken. Hij was allerminst opgetogen toen hij over de pijn hoorde. Hij is van mening dat pijn de genezing vertraagt en bovendien bestaat het risico van chronische fantoompijn als ik niet snel van mijn pijn verlost word. In mijn borsten en billen zijn niet veel zenuwen meer intact, dus zou ik eigenlijk geen pijn moeten hebben. Omdat ik het wel heb, moeten de zenuwen er snel van overtuigd worden dat er niets aan de hand is, anders raken ze eraan gewend om pijnsignalen af te geven. Dat klinkt logisch, maar dat hebben ze me in het ziekenhuis niet verteld. Daarom moet ik volgens de huisarts zo veel pijnstillers nemen dat ik geen last meer heb van de pijn, maar

218

meer dan de maximale dosis durf ik niet te nemen. Ik heb al regelmatig het gevoel dat ik wat wazig ben.

Radeloos sta ik in het halfduister van de stoffige zolder. Hoe kan ik nu de kast open krijgen? Ik schop zacht met mijn voet tegen de kastdeur, in de hoop dat deze opengaat. Ja, het lukt. Maar nu wacht me de volgende hindernis. De jas ligt helemaal onderop. Bukken is op dit moment beslist niet mijn sterkste kant. Ik kan onderhand net zelf mijn veters strikken, maar ik vind het ook niet erg als Tino het doet. Ik denk kort na, doe een halfslachtige poging om te knielen, maar stop al snel. Nee, dat wordt niets. Teleurgesteld klos ik naar beneden. Alweer moet ik om hulp vragen. Ik weet ook wel dat het Tino maar een paar minuten kost om mijn jas te halen, maar ik had het liever zelf gedaan. Ik vraag het hem, verhuis weer naar de bank en probeer mijn tranen weg te slikken. Dit is toch geen reden om te huilen, denk ik, maar het helpt niets. Al met al is het me te veel: de afmattende pijn, mijn hulpeloosheid, het eeuwige wachten tot het eindelijk eens beter gaat.

'Zullen we wel naar oma gaan?'

Tino staat in de deur van de woonkamer.

Ik veeg de tranen van mijn gezicht. Hij kijkt me treurig aan. Hij weet dat ik het erg zwaar heb, we praten er steeds over, maar hij kan me ook niet helpen.

'We kunnen vandaag toch niets anders doen. Ik neem straks nog een tabletje en dan kan ik beter wat afleiding zoeken dan hier doelloos op de bank te blijven liggen. Hier gaat de tijd met die pijn nooit voorbij. Ik heb ook niet zozeer last van de pijn, maar meer van de angst dat die pijn niet meer weggaat. Bovendien wil ik oma graag zien.' We zullen tijdens onze rit zeker af en toe moeten stoppen, maar dat vindt Tino niet erg. Hij haalt zijn schouders op. 'Uiteindelijk moet jij beslissen.'

'We gaan.' Ik sta op. 'Help jij me met mijn jas?'

'Tuurlijk.'

'Ik loop alvast naar de auto. Neem jij de tas met cadeautjes mee?'

Tino regelt nog het een en ander. Ik ga tree voor tree de vijf verdiepingen naar beneden. Ik probeer daarbij zo weinig mogelijk schokken te veroorzaken. In de auto zet ik de stoel zo vlak mogelijk. Dat is helemaal niet zo slecht. Een ontspannen houding en ik kan toch nog het landschap aan me voorbij zien trekken. Nu zou het rustig mogen sneeuwen, maar dat gebeurde steeds alleen in München. Hier in Freiburg is niets van die witte pracht te zien. Ook in het Zwarte Woud ligt niets, wat eigenlijk maar beter is ook. Ik zou me er anders alleen maar aan ergeren dat ik nu niet kan langlaufen.

In Stuttgart wacht oma ons aan de voordeur op. Alles is zoals altijd. Alleen doe ik er vandaag een stuk langer over om bij haar boven te komen. Ze neemt me voorzichtig bij de arm. 'Hoe gaat het met de pijn?'

'Die is nog niet weg. Zijn Anette en Jörg er al?'

'Nee, jullie zijn de eersten. Doe je jas uit, dan gaan we al naar boven. Ik heb de slaapbank voor je uitgetrokken, zodat je kunt liggen.'

In de woonkamer legt oma me onmiddellijk op de enorme bank en ze dekt me liefdevol toe met een deken. Waarschijnlijk zal het de eerste keer worden dat ik hier met warme voeten wegga. Het is fijn om zo te worden vertroeteld, maar het maakt me ook wat droevig. Op de een of andere manier durf ik dat nu niet te laten blijken. Ik ben bang dat oma zich dan nog meer zorgen zou maken. Ze was vooraf al sceptisch over dit bezoek.

Even later komen ook mijn broer en zus aan. Nu wordt het behoorlijk krap rond de salontafel, maar oma regelt het meteen. 'Anette, jij gaat bij Evelyn op de bank!' Anette legt mijn voeten op haar schoot en vlijt zich naast mij onder de deken. Het is een ongewone rol die ik hier heb, als herstellend patiënt. Ik ben blij dat het gauw tijd is voor het middageten, dan zitten we gewoon aan tafel en voel ik me niet zo ziek. De dag verloopt verder in harmonie, afgezien van het muzikale intermezzo op de volledig ontstemde piano in de woonkamer. Dat heeft echter ook zijn charme. Oma vertelt in de tussentijd over de twee reizen die ze de komende maanden gaat maken. Naast de amandelbloesem op Mallorca zal ze immers eerst nog met de Glacier Express door de Zwitserse bergen gaan toeren. Na de koffie maken we ons op voor de terugreis.

De mannen en Anette brengen de koffiekopjes naar beneden. Ik ben niet zo snel met opstaan. Oma kijkt me vol medelijden aan. Ik wil eigenlijk zeggen dat het niet zo erg is, dat het wat tijd nodig heeft, maar in plaats daarvan zeg ik plotseling: 'Oma, wil je mijn borsten eens zien?'

Ik schrik van mijn eigen vraag. Was dat misschien te direct? Hoe is het voor haar? Hoogstwaarschijnlijk zijn allebei haar borsten weggehaald toen een aantal jaar geleden borstkanker bij haar is vastgesteld.

Maar oma is totaal niet geschokt. 'Zou je dat willen? Vind je dat niet erg?'

'Nee, helemaal niet.'

Ik worstel even met mijn verschillende lagen kleding. Dan krijgt oma eerst mijn supersexy compressiebroek te zien en we lachen allebei hard. Ik laat haar de verschillende hechtingen zien en tot slot mijn nieuwe boezem. Ze bekijkt mijn borsten aandachtig.

'Ja, Evelyn, het is mooi geworden.'

Ik ben opgelucht. Dat was goed om te horen. Ik trek alles weer aan en we gaan op weg naar beneden.

IK BEN ER WEER

Juni 2006

Je kunt wel zeggen dat de ultrabikemarathon in Kirchzarten een must is voor alle mountainbikers uit Freiburg. Kirchzarten ligt maar een paar kilometer ten oosten van de stad, hogerop in het Dreisamdal. Vaak is het weer tijdens dit evenement bijzonder goed en wanneer de ongeveer vierdizend mountainbikers 's ochtends van start gaan, zijn de omstandigheden voor de race meestal perfect.

Dit jaar heb ik lang nagedacht of ik me zou inschrijven en zo ja, voor welke afstand. Eigenlijk houd ik het meest van de ultralange afstand van 116 kilometer en ongeveer 3600 meter aan hoogteverschillen. Dit parcours heb ik al een aantal keer afgelegd. Lange afstanden zijn mijn specialiteit. Maar deze keer, slechts een halfjaar na de operaties? Anderzijds ben ik volledig hersteld van de ingrepen. Ik heb ook niet de indruk dat mijn conditie achteruit is gegaan door mijn winterstop van drie maanden. Integendeel, ik voel me dit jaar bijzonder snel, ik kan er onbezorgd op los fietsen.

Omdat het in zekere zin een thuiswedstrijd is en ik op meerdere plaatsen gemakkelijk uit de wedstrijd kan stappen, kies ik uiteindelijk voor de ultralange afstand. Nu sta ik hier aan de start, het is iets na zevenen in de ochtend en om me heen bevindt zich een bonte menigte nerveuze mededeelnemers, die allemaal druk zijn met de laatste voorbereidingen voor de race. Ik zie voortdurend bekende gezichten, we maken kort een praatje, vragen elkaar welke afstand we doen, of we in vorm zijn, hoe snel we willen fietsen en wensen elkaar veel succes. Daar sta je dan tussen deze menigte, met die onbeschrijflijke kriebels in je buik en altijd weer dezelfde vraag die door je hoofd spookt: waarom doe ik mezelf dit in godsnaam aan, zesenhalf uur over een stoffig parcours, steile beklimmingen en even steile afdalingen door het Zwarte Woud? Deze vraagt stelt echter vrijwel iedere sporter zichzelf vlak voor de wedstrijd. Het weer is in elk geval ideaal voor mij, geen wolkje aan de lucht en nu al behoorlijk warm. Het is een hete dag – het zou een perfecte dag zijn voor Jan Ullrich, maar ook voor mij. Zodra de temperatuur onder de twintig graden zakt, werken mijn spieren niet meer optimaal. Vandaag lijkt alles perfect, een strakblauwe hemel, geen kans op onweer, gewoon ideaal.

Tino staat in een startgroep achter mij. Dit jaar mogen alle snelle vrouwen in startgroep twee staan, direct achter de profs. Tino is meestal wel een paar minuten sneller dan ik, maar hij is ook amateur en dus niet goed genoeg voor de startgroep hiervoor. Ik kijk om me heen. Hier staan bijna alleen extreem fanatieke amateurfietsers, die zeker evenveel trainen als de wedstrijdsporters. Ik voel me niet helemaal op mijn gemak en ik heb de indruk enkele geringschattende blikken op te vangen. Wat doet die hier, denken sommigen vast. In startgroep twee mogen starten is voor de fanatieke fietsers een hele eer en sommigen reageren dan ook jaloers als dit hard bevochten voorrecht opeens aan enkele vrouwen wordt gegeven die een stuk minder goed zijn. Zo is het nu eenmaal; hier vooraan gaat het niet om de olympische gedachte, maar om een paar minuten sneller te zijn dan het jaar ervoor. Ik vind het trouwens een heel slim idee van de organisatoren. Ik houd niet van het gedrang aan de start en rijd daarom de eerste kilometers altijd heel defensief. Ik kom dan

223

ook bij de fietsers terecht waar ik volgens mijn ranking niet thuishoor. Vervolgens moet ik me moeizaam weer naar voren worstelen en word ik door de langzamere en technisch slechtere fietsers gehinderd en soms zelfs in gevaar gebracht. Misschien gaat het bij andere vrouwen ook zo. Ik vind het dus slim om ons vooraan te laten starten.

Ik neem in gedachten voor de zoveelste keer mijn voorbereiding door. Afgelopen winter heb ik natuurlijk niet kunnen trainen, maar ik ging toch snel vooruit. Na Kerstmis heeft de huisarts me sterkere pijnstillers gegeven tot de pijn weg was. Een paar dagen heb ik me daardoor behoorlijk high gevoeld. Na enkele dagen kon de dosering weer omlaag en de pijn is nu definitief verdwenen. Bij een verkeerde beweging voel ik natuurlijk nog wel wat, maar ik heb niet meer die constante pijn. Ik heb ook veel aan lymfedrainage en fysiotherapie gedaan. Eind februari kon ik weer aan het werk. Het heeft me erg goed gedaan om weer les te geven. Natuurlijk was het spannend, want ik begon op een nieuwe school. Alles was onbekend: het gebouw, de rector, collega's en leerlingen. Iedereen reageerde heel aardig en ik voel me er tot nu toe goed op mijn gemak. Even voelde het vreemd om weer voor de klas te staan, maar na een paar dagen kwam mijn zelfvertrouwen terug en ik vond het geweldig leuk om nieuwe leerlingen en klassen te leren kennen. Het is prachtig om weer met jongeren samen te zijn. Natuurlijk zijn ze vermoeiend, maar ook ongelooflijk verfrissend en energiek.

Ik merk eigenlijk helemaal geen groot verschil met voor de operaties. Lichamelijk uiteraard wel. Het feit dat ik geen gevoel meer in mijn borsten heb, hindert me niet. Zelfs niet tijdens de seks. Mijn borsten zijn natuurlijk geen erogene zone meer, dat vinden we allebei jammer, maar daar moeten we maar mee leren leven. Door de ingrepen zijn de zenuwen doorgesneden. Zenuwcellen kunnen zich wel herstellen, maar ze groeien uiterst langzaam. Het kan wel jaren duren voor er enig gevoel terug-komt – als dat al ooit gebeurt. Maar de hoop is er. Als mijn bor-sten in contact komen met koud water kan ik wel wat kippen-vel zien, dus kan het misschien nog beter worden. Als ik niet zo lang met de compressiebroeken had rondgelopen, was ik vast regelmatig vergeten dat mijn borsten geamputeerd zijn. Pas twee maanden geleden mocht ik dit charmante kledingstuk ein-delijk weglaten. Ik heb er in elk geval de hele winter lang warme bovenbenen door gehad.

Mentaal voel ik me absoluut veel beter. Ik ben inderdaad weer zorgeloos, zoals dokter Feller me bij ons eerste gesprek beloofde. Mijn angsten, het gevoel van ziek zijn, alles is verdwe-nen. Ik kan eindelijk weer lachen. In de herfst onderga ik de tepelreconstructie, maar na de eerste twee ingrepen is dat een lachertje. Er wordt dan een tepel gevormd van vervangend weefsel en vervolgens wordt deze met een soort tatoeage inge-kleurd. Hoe het precies gaat, weet ik niet. Het zal me natuurlijk nog wel bezighouden, ik zal nog een paar keer naar het zieken-huis moeten, wat geen pretje zal zijn, maar ik ben er niet bang voor.

Het eerste onderzoek na de operatie was weer moeilijk. Het ging er tenslotte om hoeveel borstweefsel is achtergebleven. Het was dus een soort kwaliteitscontrole. Vooraf had dokter Schmutzler al verteld dat er grote verschillen zijn. Hoe meer borstweefsel er achterblijft, des te groter de kans is dat hierin nog een tumor ontstaat. Ook op dit vlak heeft dokter Feller ech-ter uitstekend werk geleverd: er is nog ongeveer een millimeter weefsel over, het best mogelijke resultaat. De enige teleurstelling tijdens mijn eerste controle in Keulen was de mededeling dat mijn borsten niet meer zo mooi gevormd zullen zijn als de zwel-ling eenmaal is verdwenen.

Uiteraard zijn er dagen waarop ik voor de spiegel sta en het een en ander heb aan te merken, maar als ik me dan realiseer wat de prijs zou zijn geweest als ik mijn borsten had gehouden, vallen deze kleine uiterlijke gebreken, die een vreemde niet eens ziet, volledig in het niet. Natuurlijk zijn het niet meer mijn oude borsten, hoewel het mijn eigen huid is en ook mijn vet-weefsel. En dat ik soms te kritisch ben, is ook begrijpelijk. Toch vind ik het resultaat nog steeds mooi en heb ik geen spijt van de operaties. Integendeel, ik heb het gevoel dat ik hierdoor een tweede leven heb gekregen.

Om mij heen neemt de nervositeit verder toe. Nog een paar minuten tot de start. Ik hoor mensen vertellen hoeveel er is getraind en welke streefdoelen er worden gesteld. Ze doen maar, het belangrijkste is dat ik de eindstreep haal! Voor de zekerheid heb ik mijn mobiel meegenomen. Als ik dan toch moet opge-ven, kan ik het Tino laten weten. Eigenlijk wil hij van achteren naar me toe fietsen. Hij is immers een snelstarter, terwijl ik eer-der een diesel ben. Dan rijden we een stuk samen, als we ten-minste enigszins hetzelfde tempo hebben. Voor het geval we elkaar mislopen, wat met duizenden sporters op het parcours geen gekke gedachte is, hebben we onze mobiel bij ons.

Eindelijk, het aftellen gaat beginnen. Zoals altijd klinkt tij-dens de laatste minuten voor de start *Highway to Hell* van AC/DC door de luidsprekers. Daar is het: dat absoluut onbe-schrijflijke gevoel, een combinatie van euforie, nervositeit en angst. Pang, het startschot klinkt, applaus in de voetgangerszo-ne van het stadje, waar zestien startgroepen als een gigantische duizendpoot doorheen kronkelen. Groep 1 is weg. Voor ons ligt 116 kilometer. Nog meer adrenaline! Om me heen hoor ik over-al geklik. Iedereen klikt zijn schoenen vast in de pedalen. We staan schouder aan schouder, bijna onvoorstelbaar dat je in dit gedrang echt goed kunt starten. Nu is er geen weg meer terug. We zijn aan de beurt! Startgroep 2 racet weg en ik fiets ermid-denin. Onze grove mountainbikebanden zoeven over het asfalt terwijl honderden toeschouwers ons aanmoedigen. Er loopt een rilling over mijn rug. Om me heen proberen veel renners hun uitgangspositie voor de eerste klim te verbeteren. Rechts en links schieten ze me voorbij. Ik probeer eerst uit de wind te rijden, niet meteen te hoog inzetten! Mijn hartslag is door de adrenaline iets te hoog. We rijden over asfalt en gaan voorlopig maar heel lichtjes omhoog. Precies goed om wat rustiger te worden. Ik voel me uitstekend. Wie had dat gedacht: dat ik er dit jaar bij kon zijn! Geweldig!

We bereiken het eerste stuk grindweg en vliegen er in volle vaart overheen. Ik ken de weg, er kan me niets gebeuren. Na een kort heuvelachtig stuk komt de eerste lange klim, een hoogteverschil van bijna 1000 meter. De renners zijn allemaal wat bedaard; nu komt het erop aan door te blijven trappen en daarbij niet vergeten te eten en drinken. Alles gaat top, ik voel me fantastisch en raak meteen in een flow. De sms-toon van mijn mobiel klinkt. Wie wil er nou op zondagochtend op dit tijdstip wat van me? Waarschijnlijk een berichtje van de netwerkexploitant. Vaak heb je hier in de grensregio ook bereik op het Franse netwerk. Maar goed, mijn mobiel blijft nu waar-ie zit.

We komen aan in Hinterzarten, waar de eerste verzorgingspost is. In de afdaling heeft Tino me ingehaald. We remmen iets af en nemen een reep aan van de vrijwilligers. Ik stop een stuk in mijn achterzak en we gaan weer verder. Voorlopig heb ik nog genoeg te drinken. Het Zwarte Woud laat zich vandaag van zijn mooiste kant zien. Frisgroene weiden met koeien en donkere dennenwouden onder een stralende zomerzon; soms zien we zelfs de toppen van de Alpen achter de heuvels opduiken. En ik rijd hier met zoveel energie! Na een pijlsnelle afdaling door een schaduwrijk bos komen we uit op de weg aan de oever van het Titimeer. Vandaag gaat alles vliegensvlug. Halverwege de heuvelachtige weg rond het meer gaat mijn mobiel. Dat is natuurlijk niet de bedoeling. We racen net in hoog tempo over de volgende *singletrail*. Ik neem nu natuurlijk niet op. Als het belangrijk is, bellen ze nog wel een keer. Al gauw verlies ik Tino in een afdaling uit het oog: hier is hij eenvoudigweg sneller. De volgende uren vliegen voorbij. Prachtige vergezichten, perfect weer, goede benen: hoera!

Na 70 kilometer, kort voor Todtnau, gaat mijn mobiel weer. In deze plaats in het Zwarte Woud bevindt zich weer een verzorgingspost. Ik overweeg even om een blik op mijn telefoon te werpen, maar iets houdt me tegen. Ik reik snel naar de repen en bananen en begin aan de laatste lange klim. Onmiddellijk na Todtnau gaat het steil omhoog. De klim gaat over de zuidelijke helling en de middagzon schijnt hier fel. We rijden eerst door een dorp, waar kleine kinderen ons natte sponzen uitreiken. Enkele omwonenden hebben zelfs een waterslang opgehangen waar je onderdoor kunt rijden. Gelukkig heb ik eraan gedacht mijn mobiel in een zakje te stoppen. Wie zou me nu toch in hemelsnaam bellen? Er bekruipt me een naar gevoel. Ik verdring het weer, want wat het ook is, ik kan er nu toch niets aan veranderen. Ik ben nog 40 kilometer van huis en moet ook nog wat hoogteverschil overbruggen. Ik voel me nog verrassend goed.

Veel sneller dan verwacht bereik ik de voorlaatste verzorgingspost op een open plek bij de Knöpflesbrunnen, een uitspanning in het midden van het Zwarte Woud. Ik herken Tino al van verre. Hij staat druk te kauwen. Waarschijnlijk heeft hij zichzelf al flink uitgeput. Typisch Tino, hij kan zichzelf veel beter afbeulen dan ik. Toch deelt hij het traject veel beter in dan de meeste renners, want ik ben al twee uur lang vrijwel alleen nog mensen aan het inhalen en dat gaat ook zo verder. Tino heeft me gezien en zwaait naar me. Ik rem af. 'Alles oké?'

'Alleen wat slap,' zegt hij grijnzend.

Ik neem snel wat te eten en drinken en dan gaan we weer samen op weg. Op dat moment krijg ik de volgende sms.

'Ik word al de hele tijd gebeld.'

'Wie is het?'

Opeens snap ik het.

'Ik denk dat er iets mis is met oma.'

'Denk je?'

Tino is nog steeds slapjes, ik ken dat. Het duurt nog even voor de energie zijn bloedbaan heeft bereikt en dan spurt hij weg voor de eindsprint. Het drong helemaal niet tot hem door wat ik zojuist zei. Het is ook niet zo gemakkelijk om met een polsslag van 170 nog helder na te denken. Maar dat is het: er is iets met oma. Ik hoef er niet bij te zeggen dat het geen positief nieuws zal zijn. Wat zal ik nu doen? Als ik de race hier afbreek, kan ik over de Schauinsland terugrijden. Dat scheelt een half-uur. Maar dan ben ik Freiburg en Tino zou dan nog in Kirch-zarten zijn. En dan, wat heeft oma eraan? Dat heeft ook geen zin. Ik rij de race gewoon uit. Ik raak er steeds meer van over-tuigd dat oma dat ook zou willen; dat ik de race afmaak. Voor haar. Ik vecht tegen mijn tranen en voel een brok in mijn keel. Ik zal de wedstrijd voor oma uitrijden. Dat wil ze; daar ben ik plotseling van overtuigd.

We komen aan op de Notschrei, het hoogste punt op de pas tussen de Schauinsland en de Stübenwasen. Nu komen er een paar lastige hellingen. Ze zijn vooral lastig, omdat ik al meer dan 90 kilometer in de benen heb. Vandaag heb ik echter ver-bazingwekkend veel kracht. Het doel is nu volkomen duidelijk: zo snel mogelijk naar Kirchzarten. Tino is echter nog sneller, want hij is er bijzonder goed in om lichte steken te onderdruk-ken. Ik verlies hem weer uit het oog.

Nu rijden we over de weg, politieagenten regelen het verkeer en automobilisten moeten stoppen zodra er een fietser opduikt. Ik zoef over het asfalt, duik aan de overkant weer het bos in en race de berg af. Op een vlak tussenstuk heb ik een prachtig uit-zicht. Ik moet de hele tijd aan oma denken. Toch rij ik verder, voor oma.

Bij de laatste verzorgingspost pak ik een beker cola. Straks moeten we nog een stuk bergop over een steile weide. Suiker en cafeïne helpen misschien, tenminste psychologisch. Ik voel een stekende pijn in mijn bovenbeen. Nu alsjeblieft geen kramp, daar heb ik echt geen zin in. Ik schakel naar een lagere versnelling en trap met minder kracht. De spieren ontspannen zich wat. Ik concentreer me volledig op de weg. Gelukt, ik ben boven. Niet dat dit de laatste korte klim was, maar deze heb ik tenminste achter de rug.

Een klein halfuur later kom ik aan in Kirchzarten. Ik voel echter geen uitbundige vreugde. Ik kom het stadion binnen, nog een halve ronde over de atletiekbaan. Meteen na de eindstreep wacht Tino me op.

'Fantastisch, je hebt er iets meer dan zes uur over gedaan!'

Ach, mijn tijd, die kan me geen barst schelen. Ik heb niet eens door dat ik nog nooit zo'n goede tijd heb gereden. Tino merkt al snel dat mijn hoofd er niet naar staat.

'Wat is er met oma?'

Ik kan niet praten en schud alleen maar mijn hoofd om niet in huilen uit te barsten.

Ik snap absoluut niet wat ik hier doe. Een finish vol euforische mensen. Tino pakt mijn fiets, hij heeft zijn fiets al bij vrienden neergezet. Ik slof erachteraan. Ook hier worden overal mensen ingehaald en gefeliciteerd. Ik wil echter geen heldenverhalen horen. Ik moet eerst op mijn mobiel kijken. Ik knijp er even tussenuit en haal de mobiel uit het zakje. Drie gemiste oproepen. Daar zijn de berichtjes, ik open het laatste, van Jörg: 'Oma is overleden.'

De andere sms'jes hoef ik niet meer te lezen.

Het slotplein in Stuttgart, er heerst een enorme drukte vanwege het WK voetbal. De wedstrijden zijn op groot scherm te zien. Er heerst grote vrolijkheid. Het overvalt ons behoorlijk, we waren het compleet vergeten. Iemand roept ons na: 'Hé, het lijkt wel of jullie van een begrafenis komen!' Goed geraden, daar komen we net vandaan.

We vinden plek op een terras. Een jonge, knappe ober, waarschijnlijk een student, komt naar ons toe en we bestellen twee cappuccino's.

De rouwplechtigheid staat nog op mijn netvlies. Er waren zoveel mooie bloemen. Ook waren er veel mensen die samen met ons afscheid hebben genomen van oma. Sommigen had ik al heel lang niet meer gezien. Het was fijn om met al mijn neven en nichten samen te zijn, al had ik liever een andere aanleiding gehad. Mijn zusje kwam met de trein naar Stuttgart en was op weg naar de begraafplaats pardoes verdwaald. Per telefoon hebben we haar samen naar de juiste plek geloodst. Typisch Anette; oma had er wel om kunnen lachen.

Ik ben blij dat de begrafenis voorbij is. Het was een mooie kerkdienst en ook mijn broer heeft een paar woorden gesproken. Dat vond ik knap van hem. Ik durfde het niet, maar Jörg heeft het goed gedaan.

We waren natuurlijk allemaal erg verdrietig, maar ergens is het ook goed zo. Oma wist dat haar tijd gekomen was. Ze lag al een tijdje in het ziekenhuis van Stuttgart, want na haar reis naar Mallorca ging ze plotseling snel achteruit. We hebben er nog over getwijfeld of we wel zoals altijd in de pinkstervakantie moesten kamperen en we hebben meerdere keren aangeboden om thuis te blijven. Uiteindelijk heeft oma me botweg een bezoekverbod van twee weekenden opgelegd, zodat we niet van onze vakantie zouden afzien. Ook een manier.

Toen belde oma me aan het Gardameer op, vanuit het ziekenhuis. Dit telefoontje maakte mij pas echt duidelijk dat het einde in zicht was. Dit was beslist niet haar manier van doen. Ten eerste weet ze dat bellen naar het buitenland en naar een mobiel nummer behoorlijk wat geld kost en ten tweede lag ze in het ziekenhuis, waar telefoneren ook zeker niet goedkoop is. We spraken lang met elkaar. Ik kreeg de indruk dat ze me nog een paar levenswijsheden wilde meegeven.

Ze lag bijna drie maanden achter elkaar in het ziekenhuis en ging steeds verder achteruit. Zelfs als ze er nog één keer bovenop was gekomen en naar huis was gekomen, zou het niet meer zijn als vroeger. Het huishouden zou ze niet meer kunnen doen, en aan die trappen moesten we al helemaal niet denken.

Ik ben ervan overtuigd dat het zo het beste is voor oma. Dat is een troostende gedachte, ook al is het voor mij verschrikkelijk treurig en zal ik haar enorm missen. Oma heeft haar tijd gehad, ze heeft volop genoten van het leven en mij veel gegeven. Daarvoor ben ik haar eeuwig dankbaar.

De zon schijnt stralend op het slotplein, een paar voetbalfans lopen zingend en zwaaiend met vlaggen voorbij. De ober brengt ons onze cappuccino.

DANKWOORD

Onze welgemeende dank gaat uit naar onze vrienden, die ons bij het schrijven met raad, daad, kritiek en lof hebben bijgestaan. We bedanken ook prof. dr. Rita Schmutzler en prof. dr. Axel-Mario Feller voor hun ondersteuning bij het schrijven van dit boek en voor hun waardevolle en vakkundige aanwijzingen.

Een bijzonder woord van dank gaat uit naar Karin voor haar even toegewijde als professionele begeleiding. En natuurlijk bedanken we Felix, die met het idee voor dit boek kwam en dit aangrijpende, prachtige en verrassende project mogelijk heeft gemaakt.

MEDISCH NAWOORD

Evelyn Heeg heeft baanbrekend werk gedaan met het schrijven van dit boek, dat geen dag te vroeg komt en waarin veel getroffen jonge vrouwen zich zullen herkennen. Het aantal vrouwen in Nederland dat borstkanker krijgt, neemt nog steeds toe. Dit aantal ligt inmiddels op meer dan 12.000 vrouwen per jaar. Hiervan krijgt 1 op de 20 de ziekte als gevolg van een genetische verandering (mutatie) in een van de twee genen die tot een verhoogde kans op borstkanker leiden, namelijk BRCA1 of BRCA2. Terwijl 1 op de 8 vrouwen van de algemene bevolking in de loop van haar leven borstkanker krijgt, geldt dit voor 7 op de 10 vrouwen met een mutatie. In deze families krijgen meestal meerdere vrouwen borstkanker, vaak al op jonge leeftijd, soms zelfs nog voor het dertigste levensjaar. Ook is bij deze vrouwen de kans op het krijgen van eierstokkanker sterk verhoogd (30-60% van de vrouwen met een BRCA1 genmutatie) en krijgt 7% van de mannen met een BRCA2 genmutatie borstkanker!

De risicogenen BRCA1 en BRCA2 werden in 1994 en 1995 ontdekt. Mutaties in deze genen worden statistisch gezien aan 50% van het nageslacht doorgegeven. Als in een familie bij een borstkankerpatiënte een mutatie wordt vastgesteld, kan bij de gezonde vrouwen uit deze familie worden getest of zij ook draagster zijn van de mutatie. Als uit de test blijkt dat zij geen draagster zijn van de mutatie, zijn deze vrouwen niet erfelijk belast. Ze hebben dan geen verhoogde kans op borstkanker. Omgekeerd is het zo dat als de mutatie wel wordt gevonden, het hoge risico een zekerheid wordt.

Dit was het geval bij Evelyn Heeg. Nadat de mutatie bij haar zieke grootmoeder werd gevonden, werd deze vervolgens ook bij Evelyn vastgesteld. In haar boek laat Evelyn heel nauwgezet en uitgebreid zien met welke gedachten, onzekerheden en twijfels een gezonde jonge vrouw met een verhoogd borstkankerrisico te kampen heeft. Deze gaan niet alleen over het aanhoudende verdriet om de dood van haar moeder, toen ze zelf nog bijna een kind was, maar ook over haar eigen angst om ziek te worden, haar kinderwens en schuldgevoelens om een genetisch defect door te geven, en tot slot ook over de preventieve borstamputatie om het risico tot een minimum terug te brengen, en wat deze ingreep voor haar lichaamsbeeld en vrouwelijkheid betekent.

Evelyn sluit haar ogen niet voor deze bedreiging, maar wil het risico onder ogen zien. Ze besluit na rijp beraad om haar borstklierweefsel preventief te laten verwijderen. Overigs dient hierbij te worden opgemerkt dat er in een dergelijke situatie niet één enkele oplossing bestaat, maar dat er veel verschillende manieren zijn om hiermee om te gaan. Zo kan ook worden gekozen voor een intensief traject van periodiek onderzoek gericht op vroegtijdige herkenning in plaats van een ingrijpende profylactische verwijdering van het borstklierweefsel en de eierstokken. Deze beslissing moet worden genomen na uitgebreide voorlichting over de risico's en voor- en nadelen van de verschillende mogelijkheden.

In Nederland bestaan 10 poliklinieken Klinische Genetica / Familiaire Tumoren verbonden aan de universitair medische centra en de gespecialiseerde kankercentra. Binnen deze poliklinieken werken klinisch genetici, moleculair genetici, chirurgen, internisten, gynaecologen, radiologen, pathologen, andere medische specialisten en psychosociale hulpverleners nauw samen. De klinisch geneticus coördineert het erfelijkheidsonderzoek, stelt de indicatie voor DNA-onderzoek, maakt de uiteindelijke risicoschatting en geeft informatie over de mogelijkheid van periodiek onderzoek.

Er is echter nog veel onderzoek nodig om het toekomstperspectief van de vrouwen die erfelijk belast zijn met een verhoogd risico op borstkanker te verbeteren. In de eerste plaats om naast de twee bekende genen, BRCA1 en BRCA2, die verantwoordelijk zijn voor slechts 50% van de ziektegevallen, ook de andere genetische veranderingen te ontrafelen, en ten tweede om vervolgens specifieke behandelingen en medicijnen ter voorkoming van erfelijke tumoren te ontwikkelen. De huidige wetenschappelijke resultaten tonen aan dat dit geen wensdroom meer is. Dankzij inspanning van vele artsen en wetenschappers is er in de afgelopen jaren veel vooruitgang geboekt door nieuwe mogelijkheden voor vroegtijdige herkenning en opsporing en verbetering van operatietechnieken. Dit geeft hoop voor de erfelijk belaste vrouwen, zoals Evelyn Heeg, die door borsten/of eierstokkanker dreigen te worden getroffen.

Nuttige websites:
www.erfelijkheid.nl
www.kanker.info

Uw manuscript?

Uitgeverij Just Publishers ontvangt graag manuscripten
voor nieuwe boeken.

Het is belangrijk dat uw manuscript aansluit bij de aandachts-
gebieden van Just Publishers. Op onze site krijgt u een goede
indruk van onze fondslijnen. Let op: stuur uw manuscript alleen
in als ook mensen in uw omgeving vinden dat het inhoudelijk
onderscheidend is en interessant voor een breed lezerspubliek.

Bent u er nu nog steeds van overtuigd bent dat uw werk
de moeite waard is om te worden uitgegeven? Lees dan
de volgende aandachtspunten:

- Stuur een kopie van uw compleet getypte manuscript
  samen met een samenvatting en een brief waarin u uitlegt
  wie u bent en waarom u juist dit manuscript naar Just
  Publishers stuurt.
- Vermeld ook duidelijk uw naam, telefoonnummer en
  e-mailadres.
- Het kan een aantal weken duren voor u een reactie van
  Just Publishers ontvangt.
- Just Publishers is niet aansprakelijk voor verloren gegane
  manuscripten.
- Over afgewezen manuscripten wordt niet gecorrespon-
  deerd.
- Afgewezen manuscripten worden vernietigd.

Just Publishers gaat ervan uit dat u het bovenstaande goed heeft
doorgenomen. U vindt ons postadres op onze website.

www.justpublishers.nl